FAITS DIVE

Alphonse Allais

Edition : Culturea (culurea.fr), 34 Hérault
Contact : infos@culturea.fr
Impression : BOD, Norderstedt (Allemagne)
ISBN :9791041831920
Date de publication : juillet 2023
Mise en page et maquettage : https://reedsy.com/
Cet ouvrage a été composé avec la police Bauer Bodoni

Mes débuts dans la presse

Lorsque complètement dégoûté des turpitudes de ce séminaire et bien décidé à plaquer l'état ecclésiastique auquel me destinaient mes parents, je réussis enfin à m'évader de l'établissement, se dressa devant moi, âpre et désolé, le problème de la vie à gagner.

Je détenais sur moi un léger pécule, où le cuivre jouait un rôle plus considérable que l'argent et d'où l'or et le papier semblaient bannis comme à plaisir.

Un ami d'enfance que je rencontrai m'indiqua :

– Il y a un imprimeur que je connais et qui désire fonder un petit journal local ; son absence à peu près complète d'orthographe le pousse à prendre un rédacteur affublé, comme dit Laurent Tailhade, de vagues humanités. Consentirais-tu à devenir cet homme ?

– Je suis l'homme de cette place, n'en doute pas, je serai *the right man in the right place.*

– Alors, viens, je vais te présenter.

L'homme en question était une excellente pâte d'imprimeur jovial et muni de grosses moustaches grisonnantes. Son accueil fut charmant :

– Un fait divers, un simple fait divers, sauriez-vous le rédiger ?

En mon for intérieur, je haussai les épaules.

Le clairvoyant typo insista :

– Oui, un fait divers, mais pas un fait divers comme on les écrit dans les petits canards provinciaux. Moi, dans mon journal, je veux des faits divers qui ne ressemblent pas à ceux des autres.

– Désirez-vous m'essayer ?

– Volontiers, tenez, asseyez-vous à mon bureau et écrivez-nous une vingtaine de lignes sous ce titre : « *Imprudence d'un fumeur* ».

Cinq minutes n'étaient pas écoulées que je lui remettais mon papier.

Imprudence d'un fumeur

La commune de Montsalaud vient d'être le théâtre d'un triste drame qui s'est déroulé par suite de l'imprudence d'un fumeur.

Un sieur D..., sabotier, rentrait chez lui, hier soir, vers dix heures, tenant à sa bouche une pipe allumée de laquelle s'échappaient à chaque instant de légères flammèches.

En traversant le petit bois de sapins appartenant à Mme la Marquise de Chaudpertuis, notre homme ne prit point garde qu'une simple étincelle pouvait enflammer les pommes de pin et les branches sèches qui recouvraient le sol.

Il continuait donc à fumer sa pipe quand, soudain, il poussa un cri.

Sur le bord du chemin, deux pauvres enfants d'une douzaine d'années dormaient, étroitement enlacés et grelottant de froid.

Le sieur D..., excellent cœur, réveilla les bambins et les aida à faire un bon feu de bois mort qui les réchauffa un peu, puis il s'éloigna.

Malheureusement, le feu ne se trouvait pas suffisamment allumé, car il s'éteignit bientôt.

On a trouvé ce matin les cadavres des deux pauvres petits, morts de froid.

À la bonne heure ! s'écria mon nouveau patron, voilà ce que j'appelle un fait divers pas banal ! Topons là, jeune homme !

Le drame d'hier

Un horrible drame et des plus insolites s'est déroulé hier au sein de la coquette localité ordinairement si paisible de Paris (Seine).

Il pouvait être dans les 3 ou 4 heures de l'après-midi, et par une de ces températures !...

Devant le bureau des omnibus du boulevard des Italiens, deux voitures de la Compagnie, l'une à destination de la Bastille, l'autre cinglant vers l'Odéon, se trouvaient pour le moment arrêtées, et, comme on dit en marine, bord à bord.

Rien de plus ridicule, en telle circonstance, que la situation respective des voyageurs de l'impériale de chaque voiture, lesquels, sans jamais avoir été présentés, se trouvent brusquement en direct face à face et n'ont d'autre ressource que de se dévisager avec une certaine gêne qui, prolongée, se transforme bientôt en pure chiendefaïencerie.

C'est précisément ce qui arriva hier.

Sur l'impériale Madeleine-Bastille, une jeune femme (créature d'aspect physique fort séduisant, nous ne cherchons pas à le nier, mais de rudimentaire culture mondaine et de colloque trivial) éclata de rire à la vue du monsieur décoré qui lui faisait vis-à-vis sur Batignolles-Clichy-Odéon et, narquoise, lui posa cette question fort à la mode depuis quelque temps à Paris et que les gens se répètent à tout propos et sans l'apparence de la plus faible nécessité :

– Qu'est-ce que tu prends, pour ton rhume ?

Le quinquagénaire sanguin auquel s'adressait cette demande saugrenue n'était point, par malheur, homme d'esprit ni de tolérance.

Au lieu de tout simplement hausser les épaules, il se répandit contre la jeune femme frivole en mille invectives, la traitant tout à la fois de grue, de veau, et de morue, triple injure n'indiquant pas chez celui qui la proférait un profond respect de la zoologie non plus qu'un vif souci de la logique.

– Va donc, hé, vieux *dos*, répliqua la jeune femme.

(Le dos est un poisson montmartrois qui passe à tort ou à raison pour vivre du débordement de ses compagnes.)

Jusqu'à ce moment, les choses n'avaient revêtu aucun caractère de gravité exceptionnelle, quand le bonhomme eut la malencontreuse idée de tirer à bout portant un coup de revolver sur la jeune femme, laquelle riposta par un vigoureux coup d'ombrelle.

(À suivre)

Le drame d'hier

(Suite)

Si le courageux lecteur veut bien, en dépit de l'excessive température dont nous jouissons, faire un léger effort de mémoire, il se rappellera que nous en étions restés à ce moment du drame où un monsieur, assis à l'impériale de l'omnibus Batignolles-Clichy-Odéon tirait un coup de revolver sur une jeune femme occupant un siège à l'impériale de Madeleine-Bastille, coup de revolver auquel la personne répondait par un énergique coup d'ombrelle sur le crâne du bonhomme.

Ce fut, chez tous les voyageurs de la voiture Madeleine-Bastille une spontanée et violente clameur.

L'homme au revolver fut hué, invectivé, traité de tous les noms possibles, et même impossibles.

Juste à ce moment, les opérations du contrôle se trouvant terminées, les deux lourdes voitures s'ébranlèrent et partirent ensemble dans la même direction, l'une cinglant vers la Bastille, l'autre vers la rue de Richelieu.

Malheureusement, durant le court trajet qui sépare le bureau des Italiens de la rue de Richelieu, les choses s'envenimèrent gravement et le monsieur décoré crut devoir tirer un second coup de revolver sur un haut jeune homme qui se signalait par la rare virulence de ses brocards.

Les voyageurs d'omnibus ont bien des défauts, mais on ne saurait leur refuser un vif sentiment de solidarité et un dévouement aveugle pour leurs compagnons de voiture.

Aussi n'est-il point étonnant que les voyageurs Madeleine-Bastille aient pris fait et cause pour la jeune femme à l'ombrelle cependant que ceux du Batignolles-Clichy-Odéon embrassaient le parti du quinquagénaire à l'arme à feu.

Les cochers eux-mêmes des deux véhicules se passionnaient chacun pour leur cargaison humaine, échangeaient des propos haineux, et quand Batignolles-Clichy-Odéon s'enfourna dans la rue de Richelieu, Madeleine-Bastille n'hésita pas. Au lieu de poursuivre sa route vers la Bastille, il suivit son ennemi dans la direction du Théâtre-Français.

Ce fut une lutte homérique. On fit descendre à l'intérieur les femmes et les enfants, les infirmes, les vieillards.

Pour être improvisées, les armes n'en furent que plus terribles.

Un garçon de chez Léon Laurent qui allait livrer un panier de champagne en ville offrit ses bouteilles qu'après avoir vidées on transforma en massues redoutables.

M.-B. allait succomber, quand un petit apprenti eut l'idée de descendre vivement et de dévaliser la boutique d'un marchand de haches d'abordage qui se trouve à côté de la librairie Ollendorf.

Cette opération fut exécutée en moins de temps qu'il n'en faut pour l'écrire.

B.-C.-O., dès lors ne pouvait songer à continuer la lutte, et tout ce qui restait de voyageurs valides à bord descendit au bureau du Théâtre-Français, la rage au cœur et ivre de représailles.

Quant aux ecclésiastiques, ils avaient été, comme toujours, admirables de dévouement et d'abnégation, relevant les blessés, les pansant, exhortant au courage ceux qui allaient mourir.

La petite coquette

Histoire à Jeannine

Il y avait une fois...

Je m'interromps, petite Jeannine, pour vous avertir que la lecture de cette histoire ne vous divertira peut-être pas follement : d'abord parce que, si vous êtes déjà une fort agréable causeuse, vous ne connaissez pas encore vos lettres et vous avez bien raison, ignorez-les le plus longtemps que vous pourrez, vos lettres.

Pourtant, il faudra bien que vous sachiez lire un jour, povérine, et je vous écris ce petit machin pour que, dans quelque temps, mettons dix ans, quand vous serez grande fillette devenue et que moi je serai presque un homme mûr, mais pas sérieux (Dieu me garde d'être sérieux), vous me disiez un jour avec vos yeux en velours et votre joli sourire :

– J'ai lu la petite histoire que vous m'avez faite quand j'étais toute petite : elle est très gentille.

Et moi je serai très content, car les hommes mûrs aiment bien que les petites filles de quinze ans leur fassent de beaux sourires avec des yeux en velours. Ceci dit, je commence :

Il y avait une fois place des Ternes...

Ah ! oui, j'oubliais encore... Je vous ai spécialement dédié cette histoire, parce qu'elle s'est passée place des Ternes, et que la place des Ternes, c'est votre place à vous. C'est d'ailleurs une très belle place, avec un beau bassin au milieu, et des flottes d'omnibus et tramways qui font le plus joli effet du monde.

Vous savez, ou plutôt vous ne savez pas, car ça vous est bien égal, que lorsqu'on veut aller de la place des Ternes à la Villette, ou dans la direction, deux tramways s'offrent à votre choix : l'un, couleur chocolat, qui vient de la place de l'Étoile ; l'autre, d'un beau jaune paille, qui arrive du Trocadéro. Comme ils ont tous les deux le même rail à suivre jusqu'à la même destination, le voyageur, avec cette indifférence que donne l'habitude des voyages, pénètre sans préférence dans l'un ou dans l'autre.

Ce préambule établi, et il était nécessaire qu'il le fût, comme dit

M. de Lesseps maintenant qu'il est de l'Académie, je commence mon histoire, et je ne l'interromprai plus.

Il y avait une fois, place des Ternes, une petite fille d'environ treize ans, pas encore jolie, mais déjà très gentille. Cette petite fille venait de prendre dans le bureau des omnibus un numéro pour *La Villette.* À son costume, à son allure, à ses petites mines, quelqu'un au courant des ateliers et des rues de Paris pouvait déterminer, sans erreur, la situation sociale de la fillette. C'était une petite apprentie, un *trottin* de modiste.

Très brune avec de grands yeux noirs, que nos grands-pères appelaient des yeux *fripons,* habillée d'une petite toilette printanière, gentille et simple, car cela se passait par une de ces belles journées qui signalèrent la fin d'avril 1885, la petite modiste manifestait son impatience. De temps en temps, elle regardait son numéro de carton, comme si cette vue dût presser la venue du tramway attendu.

Au bout de deux minutes, il en arriva un. C'était le chocolat, *Place de l'Étoile-La Villette,* presque vide. Je m'attendais à voir ma petite voyageuse se précipiter avidement. Elle n'en fit rien.

D'une moue dédaigneuse, elle le laissa passer sans l'honorer de sa présence. La minute d'après, arriva le tramway jaune paille, *Trocadéro-La Villette ;* mais celui-là tout plein.

La jeune fille eut un geste désespéré.

Puis ce fut de nouveau le tour du tramway chocolat, avec des tas de places libres. Même dédain pour le tramway chocolat.

Moi, que ce manège amusait et intriguait, je laissai volontiers passer mon tour pour assister au dénouement.

Enfin le tramway *paille.* Il y avait deux places libres à l'impériale. Nous les prenons d'assaut, la petite et moi ; elle, radieuse.

On n'était pas arrivé à la hauteur du parc Monceau que nous étions déjà vieux amis et comme je lui expliquais que les deux tramways en question étaient d'un usage indifférent puisqu'ils avaient le même itinéraire et la même destination, elle me répondit gentiment :

– Je sais bien, monsieur, mais celui du Trocadéro va mieux à mon teint.

Nature morte

Vous avez peut-être remarqué, au Salon de cette année, un petit tableau, à peu près grand comme cette feuille, lequel représente tout simplement une boîte à sardines sur un coin de table.

Non pas une boîte pleine de sardines, mais une boîte vide, dans laquelle stagne un restant d'huile, une pauvre boîte prochainement vouée à la *poubelle.*

Malgré le peu d'intérêt du sujet, on ne peut pas, dès qu'on a aperçu ce tableautin, s'en détacher indifférent.

L'exécution en est tellement parfaite qu'on se sent cloué à cette contemplation avec le rire d'un enfant devant quelque merveilleux joujou. Le zinc avec sa luisance grasse, le fond huileux de la boîte reflétant onctueusement le couvercle déchiqueté, c'est tellement ça !

Les curieux qui consultent le livret apprennent que l'auteur de cette étrange merveille est M. Van der Houlen, né à Haarlem, et qui eut une mention honorable en 1831.

Une mention honorable en 1831 ! M. Van der Houlen n'est pas tout à fait un jeune homme.

Très intrigué, j'ai voulu connaître ce curieux peintre, et, pas plus tard qu'hier, je me suis rendu chez lui.

C'est là-bas, au diable, derrière la butte Montmartre, dans un grand hangar où remisent de très vieilles voitures et dont l'artiste occupe le grenier.

Un vaste grenier inondé de lumière, tout rempli de toiles terminées ; dans un coin, une manière de petite chambre à coucher. Le tout d'une irréprochable propreté.

Tous les tableaux sans exception représentent des natures mortes, mais d'un rendu si parfait, qu'en comparaison les Vollon, les Bail et les Desgoffe ne sont que de tout petits garçons.

Le père Houlen, comme l'appellent ses voisins, était en train de faire son ménage, minutieusement.

C'est un petit vieux, en grande redingote autrefois noire, mais actuellement plutôt verte. Une grande casquette hollandaise est enfoncée sur ses cheveux d'argent.

Dès les premiers mots, je suis plongé dans une profonde stupeur. Impossible d'imaginer plus de naïveté, de candeur et même d'ignorance. Il ne sait rien de ce qui touche l'art et les artistes.

Comme je lui demande quelques renseignements sur sa manière de procéder, il ouvre de grands yeux et, dans l'impossibilité de formuler quoi que ce soit, il me dit :

– Regardez-moi faire.

Ayant bien essuyé ses grosses lunettes, il s'assied devant une toile commencée, et se met à peindre.

Peindre ! je me demande si on peut appeler ça peindre.

Il s'agit de représenter un collier de perles enroulé autour d'un hareng saur. Sans m'étonner du sujet, je contemple attentivement le bonhomme.

Armé de petits pinceaux très fins, avec une incroyable sûreté d'œil et de patte et une rapidité de travail vertigineuse, il procède par petites taches microscopiques qu'il juxtapose sans jamais revenir sur une touche précédente.

Jamais, jamais il n'interrompt son ouvrage de patience pour se reculer et juger de l'effet. Sans s'arrêter, il travaille comme un forçat méticuleux.

Le seul mot qu'il finisse par trouver à propos de son art, c'est celui-ci :

– La grande affaire, voyez-vous, c'est d'avoir des pinceaux bien propres.

Le soir montait. Méthodiquement, il rangea ses ustensiles, nettoya sa palette et jeta un regard circulaire chez lui pour s'assurer que tout était bien en ordre. Nous sortîmes.

Quelques petits verres de curaçao (il adore le curaçao) lui délièrent la langue.

Comme je m'étonnais qu'avec sa grande facilité de travail il n'eût envoyé au Salon que le petit tableau dont j'ai parlé, il me répondit avec une grande tristesse :

– J'ai perdu toute mon année, cette année.

Et alors me raconta la plus étrange histoire que j'entendis jamais.

De temps en temps, je le regardais attentivement, voulant

m'assurer qu'il ne se moquait pas de moi, mais sa vieille honnête figure de vieillard navré répondait de sa bonne foi.

Il y a un an, un vieil amateur hollandais, fixé à Paris, lui commanda, en qualité de compatriote, un tableau représentant un dessus de cheminée avec une admirable pendule en ivoire sculpté, une merveille unique au monde.

Au bout d'un mois, c'était fini. L'amateur était enchanté, quand tout à coup sa figure se rembrunit :

– C'est très bien, mais il y a quelque chose qui n'est pas à place.

– Quoi donc ?

– Les aiguilles de la pendule.

Van der Houlen rougit. Lui, si exact, s'était trompé.

En effet, dans l'original, la petite aiguille était sur quatre heures et la grande sur midi, tandis que dans le tableau, la petite était entre trois et quatre heures, et la grande sur six heures.

– Ce n'est rien, balbutia le vieil artiste, je vais corriger ça.

Et, pour la première fois, il revint sur une chose faite.

À partir de ce moment, commença une existence de torture et d'exaspération. Lui, jusqu'à présent si sûr de lui-même, ne pouvait pas arriver à mettre en place ces sacrées aiguilles.

Il les regardait bien avant de commencer, voyait bien leur situation exacte et se mettait à peindre. Il n'y avait pas cinq minutes qu'il était en train que, crac ! il s'apercevait qu'il s'était encore trompé.

Et il ajoutait :

– À quoi dois-je attribuer cette erreur ? Si je croyais aux sorts, je dirais qu'on m'en a jeté un. Ah ! ces aiguilles, surtout la grande !

Et, depuis un an, ce pauvre vieux travaille à sa pendule, car l'amateur ne veut prendre livraison de l'œuvre et la payer, que lorsque les aiguilles seront exactement comme dans l'original.

Le désespoir du bonhomme était si profond, que je compris l'inutilité absolue de toute explication.

Comme un homme qui compatit à son malheur, je lui serrai la main, et le quittai dans le petit cabaret où nous étions.

Au bout d'une vingtaine de pas, je m'aperçus que j'avais oublié mon parapluie. Je revins.

Mon vieux, attablé devant un nouveau curaço, était en proie à un accès d'hilarité si vive qu'il ne me vit pas entrer. Littéralement, il se tordait de rire.

Tout penaud, je m'éloignai en murmurant :

Vieux fumiste, va !

Croquis de mai

Ce soir-là, l'ouragan de mai est déchaîné dans toute sa fureur. Une pluie épaisse balaie sans interruption les rares passants dont le collet relevé brave insuffisamment la bise glacée.

Les omnibus, tous bondés, s'avancent avec peine dans les éclaboussements boueux, et l'impériale dégarnie leur donne un aspect morne et désolé.

Chaque fois qu'un omnibus arrive devant le bureau, le groupe des voyageurs s'approche, compact et inquiet, car on descend peu et l'heure s'avance.

Il va être minuit.

– Deux places à la plate-forme... 15, 16, 17...

Le 15, 16 et le 17 ne répondent pas. Fondus peut-être.

– 18, 19...

Le 18 et le 19 montent.

C'est un jeune homme, le 18, un fort joli garçon même, grand, bien taillé, dont la physionomie distinguée indique la franchise et la bonté.

Le 19 est représenté par une femme maigre, chétive, qui tient dans ses bras un bébé déjà grand, enveloppé dans un pauvre vieux châle à couleur passée.

Le tramway reprend sa route.

La pauvre femme jette dans l'intérieur des regards désespérés. L'averse a redoublé de rage.

Dans l'intérieur, il y a des hommes, des jeunes même, tous enfoncés dans leur place, les deux mains appuyées sur la pomme de leur parapluie, mais aucun ne semble voir la prière muette de la femme. On est bien là, on y reste.

Le bébé est lourd, la pluie froide et le vent siffle, coupant les visages.

La mère de l'enfant est devenue verte. Le bébé réveillé pleure.

Le jeune homme monté en même temps qu'elle, contemple avec commisération ce groupe misérable.

– Voulez-vous me permettre de tenir votre enfant un instant ? Je l'abriterai mieux que vous, et ça vous délassera.

La femme paraît en effet si suprêmement lasse, que, sans dire un mot, elle accepte avec un désolé sourire. Pauvre femme !

Enfin, quelqu'un sort de l'intérieur, une petite dame gentille, élégante et très décidée.

Une coquette ? peut-être pas.

Plutôt une petite bourgeoise délurée.

Ce n'est pas pour descendre qu'elle a quitté sa place, car elle reste sur la plate-forme.

La femme reprend son bébé et va s'affaisser dans la place libre.

Le jeune homme, très touché de ce dévouement, salue la petite dame d'un geste vague.

Cette dernière se place tout près de lui.

La conversation s'engage, banale :

– *Sale temps... Drôle de mois de mai... Décidément, les saisons sont changées... etc. etc.*

Le jeune homme est sans doute arrivé chez lui, car il descend. La petite dame en fait autant.

Elle n'a pas de parapluie, la petite dame, mais lui en a un. Il l'abrite.

Leurs bras s'accrochent. La conversation quitte son ton de banalité bête, pour devenir plus aimable, plus intime... plus précise.

Sous le parapluie, les yeux de la dame luisent, fixés sans relâche sur le beau visage du jeune homme.

Lui sourit, très charmé, mais un peu incrédule.

– Alors, dit-il, ça vous a pris comme ça, en me regardant ?

– Oui, répond-elle avec passion, dès que je vous ai aperçu sur la plate-forme. La preuve, c'est que j'ai immédiatement quitté ma place pour venir auprès de vous.

– Ce n'était donc pas pour la donner à cette pauvre femme ?

– Jamais de la vie, par exemple ! Je m'en fiche un peu de cette bonne femme et de son gosse.

Mais lui, subitement, a dégagé son bras. La parole méchante de cette femme l'a glacé.

Et il s'éloigne cruellement, laissant la petite dame seule sur le trottoir, toute bête sous l'averse.

Mon ami Lôz

Un jour qu'il pleuvait beaucoup, beaucoup, beaucoup, mon ami Lôz était très fatigué, très fatigué, très fatigué, alors il traversa un petit désert.

Et au bout du petit désert mon ami Lôz rencontra un petit palmier vert, vert, vert comme tout.

Et au pied du petit palmier vert un petit porte-monnaie vide, vide, vide.

Alors comme il pleuvait encore beaucoup, beaucoup, beaucoup et comme mon ami Lôz était encore très fatigué, très fatigué, très fatigué, il traversa un autre petit désert, et au bout de l'autre petit désert, mon ami Lôz rencontra un autre petit palmier vert et au pied de l'autre palmier, un petit sou tout rouillé, tout rouillé, tout rouillé.

Alors comme il pleuvait encore plus mon ami Lôz prit le petit sou tout rouillé et le mit dans le petit porte-monnaie qui ne fut plus vide du tout...

... C'est tout...

Feu de paille

Il était grand ; elle était petite. – Il était maigre ; elle était potelée. – Il était laid ; elle était gentille.

Ils s'épousèrent et passèrent ensemble une période de jours heureux... Mais tout passe en ce monde, sauf le café dans les mauvais filtres. Un jour vint où, grâce au caractère désagréable de sa moitié, il résolut de s'en séparer à tout prix, et de lui montrer la porte.

Jamais on ne vit, n'est-ce pas ? une femme à qui l'on indique l'huis de sortie, en profiter.

– Tu me chasses, dit-elle, je reste !

Et dès lors toutes les facultés de notre jeune époux se concentrèrent sur ce seul but : l'abandonner.

Il songea d'abord à la famine. Trois jours durant il la laissa sans avoir le moindre morceau de pain à se mettre sous les canines. Elle maigrit, mais résista.

– Fichtre ! exclama-t-il, le Dr Tanner a résisté quarante jours ; si elle est de ce calibre-là, ce sera long. Trouvons quelque chose de plus expéditif.

Il essaya des scènes. À toute heure de la journée et de la nuit, il y eut des pleurs et des grincements de dents. Mais aussitôt après, elle demandait grâce, en pleurant, d'avoir pleuré. Ces choses-là désarmeraient un tigre. Aussi, à chaque supplication, était-il désarmé.

– Je ne t'aime plus, dit-il un jour.

– Ça m'est égal, répond-elle, j'aime pour deux.

– Va-t'en voir tes parents que tu adores.

– Moins que toi, mon loup ; je te le jure, je t'aime mieux que ma grand-mère.

Un loup ne peut rien contre une femme qui l'aime mieux que sa grand-mère.

Il tenta de la fuite. Mais partout, avec la sagacité du serpent, la patience du Huron et la vélocité du chasseur d'isards, elle savait retrouver sa trace. Prenait-il le tramway, elle le suivait en voiture.

S'élançait-il sur un omnibus, deux minutes après, elle allait le rejoindre sur la plate-forme.

Il simula un voyage. Elle n'en fut pas dupe ; après un jour de recherches, elle tombait à la table d'un café où il ne l'avait jamais conduite, et :

– Garçon ! un autre bock pour moi !

Il fit un voyage à Lausanne. Elle l'apprit et partit par le train suivant.

Il sirotait tranquillement l'absinthe de la liberté à la Brasserie Cloor, et satisfait de la lettre par laquelle il venait de lui faire ses adieux, il appelait :

– Garçon, portez cette lettre à la poste pour Paris.

– C'est inutile, dit-elle en entrant ; la lettre arrivera plus vite à destination en restant ici.

– Bah ! fit-il, après tout, elle a bon ceeur, cette pauvre femme ; et son désagréable caractère me rend le service signalé d'éloigner de moi un tas d'amis. Gardons-la.

– Va, lui dit-il, ma poupoule, tu as gagné ta cause. Puisque tu le veux absolument, reste.

– Avec un vilain type comme toi ! s'écria-t-elle, jamais de la vie !

Et elle s'en alla.

Une manière d'embêter son concierge en s'amusant soi-même

Nous sommes heureux d'offrir à nos lecteurs le récit d'une farce diversement racontée et qui suffirait à assurer à son auteur, Alphonse Allais - retenez bien ce nom - une jolie place dans l'immortalité.

Un beau jour, ou plutôt une vilaine nuit - il était deux heures du matin et il pleuvait à verse - Allais tenait absolument à rentrer.

Coups de sonnette multiples et dévergondés... refus obstiné d'ouvrir.

- On n'ouvre pas passé minuit.

- Voyons, M. Bertin...

- Je ne puis ouvrir à cette heure ; le propriétaire m'engueulerait.

Tout cela pendant un quart d'heure !

À la fin, Allais a une idée lumineuse ; il laisse tomber dans la boîte aux lettres, une pièce de cent sous en argent.

Ô, puissance magique de l'or ! Le Concierge entend le bruit du métal, se lève et va ouvrir lui-même, sans oublier d'empocher la petite somme. À peine entré, Allais s'écrie :

- Ah ! nom d'un chien, j'ai oublié un livre sur la borne, dehors.

Provisoirement complaisant, le portier s'offre à l'aller quérir, et pour le récompenser de ce bon mouvement, notre ami lui referme la porte au nez.

- Ouvrez donc, c'est une mauvaise farce.

- On n'ouvre pas passé minuit, répondait imperturbablement Allais.

- Mais, ouvrez, je crève de froid avec mon pantalon et mes savates.

- Je ne puis ouvrir à cette heure-là... le propriétaire m'engueulerait.

Et l'infortuné pipelet geignait en grelottant pitoyablement.

À la fin, Allais, qui a l'âme douce au fond, cria à travers l'huis :

- Eh bien, si vous voulez entrer, faites comme moi.

Et l'ingénieux auteur de l'*Ami Lôz* récupéra ainsi son débours.

Inutile d'ajouter qu'Alphonse Allais n'a pas moisi dans cet immeuble de la rue de Lille.

Dieu

Au docteur Antoine Cros.

Il commence à se faire tard.

La fête bat son plein.

Les gais compagnons sont hauts en couleur, bruyants et amoureux.

Les belles filles, dégrafées, s'abandonnent. Leurs yeux, doucement se mi-closent, et leurs lèvres qui s'entrouvrent laissent apercevoir des trésors humides de pourpre et de nacre.

Jamais pleines et jamais vides, les coupes !

Les chansons s'envolent, scandées par le cliquetis des verres et les cascades du rire perlé des belles filles.

Et puis, voilà que la très vieille horloge de la salle à manger interrompt son tic-tac monotone et ronchonneur pour grincer rageusement, comme elle fait toujours quand elle se dispose à sonner l'heure.

C'est minuit.

Les douze coups tombent, lents, graves, solennels, avec cet air de reproche particulier aux vieilles horloges patrimoniales. Elles semblent vous dire qu'elles en ont sonné bien d'autres pour vos aïeux disparus et qu'elles en sonneront bien d'autres encore pour vos petits-fils, quand vous ne serez plus là.

Sans s'en douter, les gais compagnons ont mis une sourdine à leur tumulte, et les belles filles n'ont plus ri.

Mais Albéric, le plus fou de la bande, a levé sa coupe et, avec une gravité comique :

– Messieurs, il est minuit. C'est l'heure de nier l'existence de Dieu.

Toc, toc, toc !

On frappe à la porte.

– Qui est là ?... On n'attend personne et les domestiques ont été congédiés.

Toc, toc, toc !

La porte s'ouvre et on aperçoit la grande barbe d'argent d'un vieillard de haute taille, vêtu d'une longue robe blanche.

– Qui êtes-vous, bonhomme ?

Et le vieillard répondit avec une grande simplicité :

– Je suis Dieu.

À cette déclaration, tous les jeunes gens éprouvèrent une certaine gêne ; mais Albéric, qui décidément avait beaucoup de sang-froid, reprit :

– Ça ne vous empêchera pas, j'espère, de trinquer avec nous ?

Dans son infinie bonté, Dieu accepta l'offre du jeune homme, et bientôt tout le monde fut à son aise.

On se remit à boire, à rire, à chanter.

Le matin bleu faisait pâlir les étoiles quand on songea à se quitter.

Avant de prendre congé de ses hôtes, Dieu convint, de la meilleure grâce du monde, qu'il n'existait pas.

Le bon amant

À Rachilde,
auteur de Queue de poisson.

En fumant des cigarettes, il l'attendait sur le balcon. Il faisait un temps froid et sec comme un coup de trique, mais il était tellement comburé par la fièvre de l'attente, que la température lui importait peu.

Enfin une voiture s'arrêta. Une masse noire sur le fond gris-perle du trottoir passa comme un éclair et s'engouffra dans la porte.

C'était elle.

Un peu suffoquée par les deux escaliers qu'elle venait de grimper comme une folle, elle entra, et fut aussitôt gloutonnement baisée sur ses petites mains et ses grandes paupières.

Puis alors il pensa à la regarder.

Elle était vraiment charmante, d'un charme troublant et inoubliable.

Sa petite tête fine et brune, émergeant des fourrures, était coiffée d'un chapeau tyrolien en feutre gris, de jeune garçon. Les bords en étaient rabattus très bas sur le front. Ses grands yeux paraissaient avoir de plus longs regards qu'à l'ordinaire, et elle s'était fait, ce soir-là, de mignons accroche-cœur, non pas à la manière des Espagnoles, mais de vraies petites *guiches* de jeune *dos*.

Après les premières effusions, quand elle se fut désemmitouflée :

– Mais il fait un froid de loup chez vous, mon cher !

Alors, très désespéré, il chercha fébrilement chez lui de vagues combustibles, mais en vain.

Vivant constamment au dehors, il avait toujours négligé ce détail de la vie domestique.

Alors elle devint furieuse et cruelle.

– Mais c'est idiot, mon cher ! Brûlez vos chaises, mais de grâce faites du feu. J'ai les pieds gelés.

Il refusa net. Son mobilier lui venait de l'héritage de sa mère, et le brûler lui paraissait un odieux sacrilège.

Il prit un moyen terme.

Il la fit se déshabiller et coucher.

Lui-même se dévêtit complètement.

Avec un canif qu'il avait préalablement bien affilé, il s'ouvrit le ventre verticalement, du nombril au pubis, en prenant soin que la peau seule fût coupée.

Elle, un peu étonnée, le regardait faire, ne sachant où il voulait en venir.

Puis, tout à coup, comprenant son idée, elle eut un éclat de rire et une bonne parole.

– Ah ! ça c'est gentil, mon cher.

L'opération était finie.

Comprimant de ses deux mains les intestins qui s'échappaient, il se coucha.

Elle, très amusée de ce jeu, enfouit ses petits petons roses dans la masse irisée des entrailles fumantes, et poussa un petit cri.

Elle n'aurait jamais cru que ce fût si chaud là-dedans.

Lui, de son côté, souffrit cruellement de ce contact très froid, mais l'idée qu'elle était bien le réconforta, et ils passèrent ainsi la nuit.

Bien qu'elle fût réchauffée depuis longtemps, elle laissa ses pieds dans le ventre de son ami.

Et c'était un spectacle adorable de voir ces petits pieds bien cambrés, dont la glaucité verdâtre des intestins faisait valoir la roseur exquise.

Au matin, il était un peu fatigué, et même de légères coliques le tourmentaient.

Mais comme il fut délicieusement récompensé !

Elle voulut absolument recoudre elle-même cette chaufferette physiologique.

Comme une bonne petite femme de ménage, elle descendit, *en cheveux*, acheter une belle aiguille d'acier et de la jolie soie verte.

Puis, avec mille précautions, comprimant de sa petite main gauche les intestins qui ne demandaient qu'à déborder, elle recousit de sa petite main droite les deux bords de la plaie de son bon ami.

À tous les deux, cette nuit est restée comme leur meilleur souvenir.

Le pilote

À peine après un an de mariage, elle l'avait lâché. Cette fuite l'assomma comme un coup de massue, et ce fut miracle, pour ceux qui le connaissaient, qu'il ne devînt pas fou.

Leur histoire était bien simple.

Lui, un de ces rudes marins des côtes normandes, nature douce et pas compliquée. Sur le tard, à quarante ans, il s'était épris d'une fillette délicieusement jolie, fille d'un pêcheur de Dieppe. Comme il était un bon parti, patron de barque avec quelques économies, il n'eut pas de peine à obtenir la jeune fille en mariage.

Ce fut le malheur de sa vie. À partir de ce moment, il n'eut plus jamais un instant de repos.

Sa femme était coquette. Lui devint très vite horriblement jaloux. Si bien qu'au bout de quelque temps, fatigué et énervé de ses longues absences en mer, des marées de nuit surtout, pendant lesquelles il se *mangeait les sangs,* il finit par vendre sa barque et s'établir *débitant* sur un quai du Havre.

Là au moins, pensait-il, il serait toujours près de sa femme et son éternelle inquiétude pourrait prendre fin. Ce fut au contraire une torture plus cuisante et plus incessante. Sa femme trônait au comptoir, très gracieuse et toujours souriante.

Une clientèle de godelureaux empressés ne désemplissaient pas le débit, et du matin au soir, le pauvre homme renfonçait en lui l'envie folle de jeter tous ces gens à la porte.

Les *conditionnels* surtout l'horripilaient. Aussitôt leur service terminé, ils arrivaient en bande faire les joli-cœurs auprès de la belle Mastroquette, comme ils l'appelaient.

Un matin, elle prit son panier, comme d'habitude, pour aller au marché.

Elle ne revint pas.

Les conditionnels non plus. Ce jour-là ils avaient été libérés.

Après trois jours de stupeur morne et de folie furieuse, le mari vendit son fonds, réalisa tout et vint à Paris.

Il alla droit à la préfecture de police, raconta son histoire et se mit en campagne, aidé par les agents.

Des mois se passèrent. Il cherchait toujours, mais sans résultat.

Comme il ne ménageait pas les dépenses et les pourboires pour stimuler le zèle des policiers, ses économies s'usèrent vite, et un beau jour il se trouva sans le sou.

Il battait le pavé de Paris, la rage et le désespoir au cœur, quand il rencontra un de ses anciens amiraux qui le fit entrer comme pilote aux bateaux-mouches.

Il débuta dans son service par une merveilleuse journée de printemps. C'était un dimanche, le premier beau jour de l'année. Les bateaux étaient encombrés d'une foule joyeuse qui allait faire la fête à Meudon ou à Saint-Cloud.

Lui, calme et grave, se tenait à la barre, un peu distrait par sa nouvelle fonction. Le sentiment de sa responsabilité de marin étouffait pour la première fois ses accès de fureur.

C'est le soir.

La foule bruyante des Parisiens s'entasse sur le quai de Saint-Cloud. On est un peu las, et on voudrait bien rentrer.

Le pilote laisse traîner son regard vague sur tous ces gens qui embarquent un à un.

Tout à coup, il a tressailli au plus profond de son être, et il lui a fallu se tenir à la barre pour ne pas tomber.

Elle, c'est bien elle qui s'avance toute heureuse et toute rose, au bras d'un jeune homme.

Elle, plus jolie que jamais, la misérable, dans sa toilette claire de Parisienne coquette.

Complet... En avant !

De sa manche, le pilote a essuyé la sueur froide qui inonde son front. Son devoir de marin parle chez lui plus fort que tout. La barre est en bonne main.

Les amoureux sont tout à fait à l'avant. Pour s'amuser, elle s'est penchée sur le bastingage et laisse traîner dans l'eau le bout de son ombrelle. Le vent fait voltiger les petits cheveux fous de son cou, et l'amoureux plante un gros baiser sur sa nuque blanche.

À partir de ce moment, on ne comprend pas bien la manœuvre

du bateau. Il était dans l'axe d'une arche, et voilà qu'il se met juste dans la direction de la pile.

On est à une trentaine de mètres du pont.

Les quais sont couverts de monde.

On s'étonne, puis on s'inquiète de cette marche bizarre.

Une clameur sourde d'abord, puis déchirante s'échappe de toutes les poitrines.

On n'est plus qu'à dix mètres de la pile.

Sur les quais, sur les ponts, les femmes se jettent en arrière avec effroi pour ne pas voir...

Sur le bateau, tout le monde est fou d'angoisse...

On n'est plus qu'à cinq mètres.

Maintenant c'est la pile, l'énorme pile grise du pont qui semble s'avancer sur le bateau, comme quelque monstrueux assommoir.

Alors dans l'air s'élève un cri qui n'a de nom dans aucune langue, suivi d'un coup de canon formidable.

À toute vitesse, le bateau-mouche vient s'effondrer sur la pile du pont.

La chaudière éclate, tuant de ses débris tous ceux qui ne sont pas écrasés ou noyés.

Le pilote est vengé.

Par où ?

À ce moment-là, poussé par la dèche et aussi par une effroyable lassitude de la vie de Paris, j'étais allé me réfugier dans une petite situation, modeste mais apaisante, en province.

C'était en Seine-et-Oise, à C... (Je ne nomme pas la ville. Ces lignes pourraient tomber sous les yeux de quelques gens qui ne manqueraient pas d'en profiter pour me nuire.)

La raffinerie où j'exerçais mon métier de chimiste était située à environ deux kilomètres de C... Tous les soirs, vers quatre ou cinq heures, j'étais libre.

Alors, tantôt par la grande route, tantôt par les bords ombreux de la rivière, je rentrais dans la petite ville.

Deux grandes heures à tuer avant le dîner ! J'avais pris pension à la table d'hôte où je couchais,

Oh ! les attristants dîners – et combien longs – de l'hôtel Rivoli !

Pauvre moi, qui précisément sortais du plus étrange milieu parisien, tout de vibrance et de joie, où la moindre banalité nous faisait nous regarder, ahuris !...

Il me fallut assister, impassible, aux conversations lamentables de ces malheureux employés, et parfois même y prendre part.

Une petite bonne accorte, plutôt jolie, nous servait avec des lenteurs interminables. Son sourire sérieux et vite réprimé, quand on lui faisait des compliments un peu vifs, m'avait d'abord très amusé. Mais, dès que je me fus aperçu qu'elle n'avait d'yeux et de soins que pour un agent-voyer complètement idiot qui dînait avec nous, elle cessa de m'intéresser.

C'était le printemps. Les jours commençaient à croître sensiblement. Il faisait presque jour quand on sortait de table. Que faire avant de se coucher ?

J'essayai du café-concert. La troupe se composait de quatre artistes, deux vieux et deux jeunes.

Les deux jeunes – un petit ménage – n'avaient pour racheter leur laideur peu commune que la qualité de chanter faux comme des jetons. Les deux vieux, des écrasés de la vie, avec un pauvre restant de talent et de voix, gagnaient misérablement leur triste vie.

La vieille chanteuse, surtout, qui avait dû être une fort belle femme, gardait sur ses traits ravagés une sorte de stupeur calamiteuse qui vous serrait le cœur.

Heureusement que je découvris un café à *terrasse*.

J'ai toujours eu l'amour des terrasses de café, et la conception la plus flatteuse du paradis serait, pour moi, une terrasse de café, d'où l'on ne partirait plus jamais.

Bien modeste, d'ailleurs, cette terrasse. Quatre guéridons de tôle, dont la peinture s'enlevait sous l'ongle par larges plaques. Des tabourets de paille que les galopins de C... ne manquaient pas de renverser en passant.

Je devins l'hôte le plus assidu de cet éden. À cinq heures, je m'y installais, et jusqu'au dîner je dégustais d'étranges apéritifs, comme je n'en ai jamais retrouvé à Paris. (J'avais, à ce moment, une salutaire et justifiée méfiance de l'absinthe.)

Devant moi défilaient quelques passants, toujours les mêmes.

Le très vieux bâtiment qui faisait face à ma terrasse était un de ces immeubles compliqués de province, où les maisons s'enchevêtrent bizarrement, où pas une fenêtre ne se ressemble, et que leurs propriétaires eux-mêmes ne sauraient démêler à première vue.

Dans la façade grise, culottée par les siècles, les fenêtres proprettes et les rideaux blancs mettaient leur lumière d'une gaieté calme et uniforme.

Un jour, je m'aperçus qu'une des fenêtres, au deuxième étage, avait changé d'aspect.

Des fleurs et de grands rideaux lilas clair tranchaient doucement sur la monotonie de l'ensemble.

Fort intrigué, je ne pouvais détacher mes yeux de cette jolie clarté. J'allais demander des renseignements au cafetier, lorsque, très rose, très blonde et très radieuse, une jeune fille vint s'accouder à la fenêtre.

Était-elle vraiment si jolie que ça ? ou bien ma solitude me prédisposait-elle à l'indulgence ? Je ne sais, mais je me rappelle que je restai confondu et comme anéanti de tant de charme. De temps en temps elle riait, égayée sans doute par les propos d'une personne qui parlait dans l'appartement, et alors elle devenait d'une séduction irrésistible. Sa bouche, un peu grande, s'ouvrait, toute de rose et de nacre, et l'argent de son rire nous arrivait, comme perlé.

Je n'eus qu'une idée : la voir et la connaître. Avec des ruses d'Apache, des mines indifférentes, je m'informai. Personne ne put me renseigner.

– Une Parisienne qui vient passer l'été ici, me répondait-on.

J'en étais arrivé à ne plus penser qu'à elle, à tout sacrifier pour elle.

Les quelques heures que me laissait mon industrie me parurent insuffisantes, et sous un futile prétexte, j'abandonnai mon usine.

Ma terrasse elle-même devint un observatoire trop lointain, et comme le café possédait un *billard au premier,* je montai au premier.

Les joueurs de billard regardèrent d'un mauvais œil ce jeune homme qui ne jouait pas, et pour qu'on me tolérât, je dus me mettre à jouer au billard.

Évidemment, elle n'habitait pas seule son appartement, puisqu'on la voyait rire et causer, et pourtant jamais je ne pus apercevoir d'autre personne qu'elle.

J'en étais devenu littéralement fou. Pas une seconde de ma vie ne s'écoulait plus sans que mon esprit ne fût tendu vers elle.

Mes ressources d'argent s'étaient épuisées. Quand je vis que je n'avais plus qu'un jour à passer à C..., je brusquai les choses.

Auprès de tous les boutiquiers qui pouvaient me renseigner (il n'y a pas de concierge à C...), je m'enquis sans aucune retenue de la personne du deuxième.

Chacun me renvoya à son voisin.

– C'est bien difficile, allez, monsieur, de s'y reconnaître là-dedans. Il y a trois maisons dont les étages se mêlent ensemble.

Je voulus en avoir le cœur net.

Le lendemain encore, je restai à C..., sans un sou, vivant à crédit sur ma bonne réputation.

Vaines, vaines mes recherches.

Personne, ni les locataires, ni les propriétaires, car dans l'exaspération de mon inquiétude je m'adressai à tout le monde, ne put me renseigner sur l'accès de la chambre mystérieuse.

Je ne le saurai jamais, car peu de temps après la jeune fille déménagea. La fenêtre reprit son aspect ordinaire.

Mais rien, rien ne chassera de mon esprit le souvenir de celle qui, avec tant de charme, s'accoudait entre le lilas très clair de ses rideaux, et dont le rire d'argent m'arrivait comme perlé.

Petite fille

Quelle drôle de fillette !

Nous l'avions rencontrée un dimanche après-midi au Moulin de la Galette. Attablés devant un saladier à la française, nous la voyions tourner autour de la danse. Après quelques tours et des plaisanteries réciproques, elle daigna s'arrêter à notre table et trinquer avec nous.

Bientôt, nous fûmes les meilleurs amis du monde. Elle était si petite, si menue, si mignonne que, devant son refus gamin de nous dire son nom, nous la baptisâmes *l'Atome,* et depuis ce moment, nous ne l'appelâmes jamais autrement.

Comme nous l'invitions à dîner, elle nous demanda :

– Qu'est-ce qu'on va boulotter ?

– Ce que vous voudrez.

Alors elle composa d'un air très sérieux un menu bizarre et des plus inattendus. Le vinaigre y jouait un rôle prépondérant.

Au dîner, elle fut d'une gaieté folle. De sa voix un peu enrouée de fillette parisienne, elle nous raconta des histoires d'atelier, les agrémentant de réflexions loufoques et de mots spécialement montmartrois qu'elle voulait bien nous expliquer.

Son esprit endiablé, sa réplique rapide et jamais prise au dépourvu, ses petites mines gavrochardes nous amusèrent énormément, nous qui, à cette époque, ne connaissions que les joies et les fantaisies contestables du Quartier latin.

Personne de nous ne la prenait au sérieux comme femme, tant elle paraissait si jeune et si peu faite.

En la quittant au bas de la rue des Martyrs, je lui donnai mon adresse, sans beaucoup compter sur sa visite.

Aussi fus-je bien étonné, quelques jours après cette rencontre, quand un matin j'entendis toc-toc à ma porte.

– Qui est là ? grognai-je dessous mes couvertures.

Une voix rieuse répondit :

– Ouvrez donc, c'est *l'Atome.*

L'Atome, toute rouge et très essoufflée de mes cinq étages, s'engouffra chez moi :

– Comment ! vous êtes encore au pieu de ce beau temps-là ! En v'là une fainéante !

C'était une de ses manies de parler à tout le monde au féminin, comme si elle s'adressait à des compagnes.

– Ça ne vous gêne pas pour vous habiller que je sois là ? Allez, je regarde par la fenêtre.

Mais la contemplation du grand mur gris qui faisait face à mon appartement l'ennuya bientôt et, se retournant, elle me demanda à la blague :

– Dites donc, vous ne payez pas de supplément pour votre panorama ?

Il faisait un temps superbe.

Avec les amis de dimanche dernier, nous passâmes une journée délicieuse. *L'Atome* nous amena dans une guinguette qu'elle connaissait, à Saint-Mandé.

Moi, je commençais à la trouver plus qu'amusante, cette petite, et pas trop jeune. Je le lui dis dans l'oreille, mais elle, immédiatement, me rembarra, en haussant les épaules :

– T'es pas folle, dis donc, ma pauvre fille ?

Tout penaud de cet accueil, je n'insistai pas. Ceux des camarades qui firent auprès d'elle la même tentative s'attirèrent la même réplique.

Elle ne paraissait pas d'ailleurs autrement fâchée de ces assauts, car à partir de ce jour elle ne fut jamais longtemps sans venir nous voir, en bonne camarade.

Tout doucement, nous fîmes plus ample connaissance.

C'était la fille d'un des plus jolis modèles de Montmartre, encore fort belle femme. Son père probable, peintre connu et de talent, mais prodigieusement égoïste, l'avait vaguement élevée, subvenant par caprices à ses besoins et à son éducation.

À force de traîner avec sa mère dans les ateliers, la gamine, très éveillée et très intelligente, s'était fait un petit talent d'aquarelliste, et à l'époque où nous avions fait sa connaissance, elle commençait à gagner pas mal sa vie.

Un jour, je ne sais pourquoi, elle me parut plus désirable, plus irritante que jamais, et je me jurai de la posséder le soir même.

Elle ne résista que faiblement, avec une vague tristesse. Chez moi, devant le feu clair, sans dire un mot, elle se déshabilla lentement, avec une impudeur déconcertante de petite fille, mais n'ayant aucun de ces mouvements banalement bêtes des filles qui, toutes, ont la même manière de tirer leurs bas et de laisser tomber leurs jupons.

Puis, assise sur un coin de tabouret, elle chauffa ses petits pieds roses de joli bébé.

À un moment, j'aperçus deux grosses larmes qui tremblotaient dans ses cils blonds.

Je ne trouvais que des phrases idiotes :

– Pourquoi pleures-tu ?... Ça t'embête ?...

Elle ne répondait pas, mais à la fin, devant mon insistance, elle me dit en fixant le feu, d'une voix qu'enrouait encore le sanglot montant :

– Il y a, aujourd'hui, juste un an que j'ai perdu ma gosse...

À l'œil

À Caran d'Ache.

Positivement, il devenait assommant, ce capitaine de Boisguignard, avec ses éternelles histoires de bonnes fortunes. Et *à l'œil*, vous savez, tout le temps *à l'œil.*

Car c'était sa grande vanité et sa gloire suprême, au capitaine de Boisguignard, de posséder toutes les femmes de L..., sans bourse délier, toutes, depuis la femme du trésorier général jusqu'aux petites modistes de la rue Nationale en passant par les dames du théâtre et les demoiselles faciles.

Comme c'était une manie chez lui, aucun de ses collègues n'y faisait plus attention. Parfois, au récit de ses aventures amoureuses, quelqu'un risquait :

– À l'œil, naturellement ?

Et Boisguignard répondait sans sourciller :

– Bien entendu.

Le soir du dernier mardi gras, ces messieurs les officiers avaient joyeusement fêté le carnaval. La gaîté battait son plein, et la Folie agitait ses grelots si vertigineusement qu'on aurait juré une sonnerie électrique.

Le jeune vicomte de la Folette, sous-lieutenant frais émoulu de Saint-Cyr, lisait tout haut dans *L'Avenir militaire* des circulaires apocryphes du général Boulanger qu'il inventait avec beaucoup d'imagination et de sang-froid : « Mon général, à partir du 1er juin, vous voudrez bien veiller à ce que l'infanterie soit montée. Quant à la cavalerie, dorénavant, elle ira à pied. C'est bien son tour. Agréez, etc. Signé : Boulanger. »

Ou bien encore : « Mon cher général, j'ai décidé que le port du vélocipède serait autorisé dans l'armée pour les caporaux et brigadiers, etc., etc. Signé : Boulanger. »

Et c'était, à toutes les tables, des éclats de rire... Un vrai succès pour le sous-lieutenant de la Folette.

Un capitaine l'interpella :

– Mais, à propos de Boulanger, expliquez-nous pourquoi vous ne profitez pas de sa décision relative à la barbe ?

De la Folette rougit un peu, car c'était son grand désespoir. Quoique ses vingt ans fussent bien révolus, jusqu'à présent sa peau rose ne s'était encore estompée d'aucun duvet. Pourtant, il répondit sans se troubler :

– J'en profite plus que vous ne croyez, car je ne me suis jamais rasé.

Pendant ce temps, Boisguignard causait de ses conquêtes. Il s'agissait, cette fois-ci, d'une chanteuse de café-concert, nouvellement débarquée à L... Quelqu'un demanda timidement :

– À l'œil, bien entendu ?

Et Boisguignard répondit comme d'usage :

– Naturellement.

Cela avec un aplomb si comique que tout le monde ne put s'empêcher de sourire. Boisguignard, furieux, s'en prit au jeune de la Folette.

– Eh bien, oui, à l'œil. Qu'est-ce que vous avez à rire ?

– Je ne ris pas, mon capitaine... Je souris avec un respect nuancé de doute.

Boisguignard éclata :

– Mais parfaitement, à l'œil ! Et je donne vingt-cinq louis à celui qui me verra *fiche* un sou à une femme !

Le sous-lieutenant tint le pari et, comme c'était un garçon fertile en ressources, messieurs les officiers se promirent de s'amuser beaucoup à ce petit jeu.

Vingt jours après cette soirée mémorable, arriva la mi-carême. Il y avait le soir, à l'Alcazar de l'endroit, grand bal paré et costumé. Tout l'élément joyeux de L..., civil ou militaire, s'y rendit, le capitaine de Boisguignard comme les autres.

Au dessert, le jeune de la Folette s'était retiré, en proie, disait-il, à une violente migraine.

Un bal paré et costumé à L..., vous le voyez d'ici.

La plus franche cordialité ne cessa d'y régner, mais, malgré tout, c'était un peu *rural.*

Vers minuit, comme Boisguignard et quelques-uns de ses collègues se disposaient à sortir, un domino entra qui fit sensation. Ce devait être, autant qu'on pouvait en juger à travers le costume et le masque, une femme d'une rare distinction.

Elle rencontra Boisguignard dans le bal et lui planta dans les yeux son regard doux et bleu.

L'ardent capitaine frémit sous la secousse, et s'approcha de la dame, lui murmurant d'habiles galanteries.

Tout d'abord, elle ne répondit pas.

Mais bientôt, s'enhardissant, elle prononça quelques paroles d'une voix basse, sourde et entrecoupée par l'émotion.

Finalement, après mille manières, elle consentit à accompagner Boisguignard dans un cabinet particulier.

Dire la fierté du capitaine serait chose impossible. Il aurait voulu défiler, avec sa compagne au bras, devant tout le régiment, colonel en tête.

Le fait est qu'elle avait un chic !...

Quand ils furent enfermés dans le cabinet, et qu'il l'eut conjurée de se démasquer enfin, elle sembla prendre un grand parti :

– Écoutez, monsieur, dit-elle, en me livrant à vous, je fais une folie ; je voudrais que cette folie ne fût pas sans profit pour moi. Ce sera vingt-cinq louis.

– Mais comment donc !

Et de la façon la plus naturelle du monde, en homme qui a souvent pratiqué cette opération, Boisguignard sortit de son portefeuille cinq jolis billets de cent francs.

Le domino compta la somme, l'inséra soigneusement dans un élégant petit carnet de nacre, et, enlevant brusquement son masque, il s'écria :

– Vingt-cinq louis, ça fait le compte, mon capitaine !

La belle mystérieuse n'était autre que cet affreux petit sous-lieutenant de la Folette.

Inutile d'ajouter que la somme fut immédiatement bue et

mangée en joyeuse compagnie.

Mais, depuis ce temps-là, chaque fois qu'au mess ou au café la conversation tombe sur les femmes, le capitaine de Boisguignard cause d'autre chose.

Conte de Noël

Il y a maintenant trois ans, c'est-à-dire à l'époque de Noël, je me trouvais détenu dans une petite prison du Yorkshire, en prévention de vol, escroquerie, chantage, le tout doublé d'une assez vilaine histoire de mœurs sur laquelle il me serait pénible d'insister ici.

Ce qui me vexait le plus en cette occurrence, c'était moins la détention elle-même que l'époque à laquelle elle se produisait.

J'ai toujours adoré Christmas, cette fête des babies et du foyer, Christmas, le bon Christmas.

Du gui, du gui, encore du gui !

En Angleterre plus que partout, et particulièrement dans le Yorkshire, la fête de Noël a un caractère d'intimité dont le boudin parisien ne donne qu'une lointaine idée... si lointaine.

Pour l'intimité, je n'avais rien à dire. Ma cellule était intime, un peu trop peut-être.

Mon geôlier m'avait... Oh ! l'étrange geôlier ! C'était un ancien *horse-guard* qui avait perdu une jambe dans la guerre contre les Ashantees.

Comme il s'était engagé jadis aux *horse-guards* pour l'uniforme, il avait tenu, malgré son amputation et sa nouvelle fonction, à conserver son ancien costume.

Et c'est vraiment une très comique chose, de voir d'un côté une jambe de bois et de l'autre une culotte de peau, une botte et un éperon.

Très comique et très touchante chose !

Cependant, malgré tous ces détails, la nuit de Noël arrivait.

Et moi qui étais invité à un réveillon aux îles Féroé, dans la sainte famille d'un pasteur évangéliste !

Vous tous qui me lisez, ou presque tous, vous avez été en prison ; mais, étant en prison, avez-vous vu tomber la neige ?

Ah ! quelle horreur, la neige qui tombe quand on est en prison !

La seule sensation qui vous rattache au monde extérieur, le bruit, le délicieux bruit (*sweet noise*) disparaît.

On ne voit plus rien, on n'entend plus rien !

Et elle tombait sans relâche, oblique, drue, serrée, si bien que ma pauvre petite cellule en était obscurcie et comme étouffée.

Un bruit surtout me manquait, parmi ceux que j'avais remarqués et que j'aimais depuis ma captivité : c'était celui de la promenade de mon geôlier dans la grande cour de la prison.

D'abord, *pan !...* le coup mat de la jambe de bois sur le pavé, et puis le *toc !...* triomphant et vainqueur du talon de la botte, métallisé par la vibration de l'éperon, et puis ainsi de suite.

Mon vieux *horse-guard* ne se promenait-il plus, ou bien le bruit de sa marche était-il étouffé par la neige ?

Je me posais ces questions avec l'inquiétude vaine que crée l'oisiveté de la vie cellulaire.

La nuit de Noël était venue, et je n'avais pas pu me décider à me coucher.

Les cloches sonnèrent dans la ville d'abord, et dans les petites paroisses voisines.

Ces dernières, étouffées par la neige, voilées par le lointain et si attendrissantes que je sentis se mouiller mes yeux.

J'ai toujours pleuré en écoutant, dans le loin, les cloches de campagne.

– *Go in !* fis-je en m'éveillant de mon rêve bleu.

On venait de frapper à la porte de ma cellule.

C'était une toute blanche et rose fillette d'une quinzaine d'années, portant à son bras gauche un petit panier et tenant à la main droite une grosse touffe de gui.

– *Good night, sir*, dit-elle.

– *Good night, miss*, répondis-je.

Et elle continua, toujours en anglais :

– Vous ne me reconnaissez pas ?

– Mais si, répondis-je dans la même langue, je crois vous avoir déjà rencontrée dans un album de Kate Greenaway.

– Non, pas là.

– Alors, dans ma belle image de Robert Caldecott.

– Non plus.

Un silence.

– Comment ! dit-elle d'un air mutin, vous ne vous rappelez pas ? L'année dernière, vous m'avez sauvée d'une mort certaine. Je traversais *Trafalgar Square*, lorsque soudain et en proie à une rage subite, l'un des lions en bronze de cette place se précipita sur moi. Je n'eus que le temps de fuir. Un omnibus passait, vous ayant sur l'impériale. Vous vous penchâtes, et d'un bras vigoureux m'enlevâtes à la voracité du fauve. Toute penaude, cette bête reprit sa place immuable et le rôle décoratif que lui avait assigné l'artiste.

J'avais beau rassembler mes souvenirs, je ne me rappelais rien d'analogue. Mais elle insista tellement :

– Même que c'était l'omnibus de *Bull and Gate*. Vous alliez à la villa Chiavenna, chez votre ami Lombardi.

Devant un fait aussi précis, je m'inclinai.

Elle sortit de son panier le plum-pudding de la reconnaissance, quelques bouteilles d'ale, et nous soupâmes joyeusement.

À l'aube, elle s'enfuit emportant mon cœur et les bouteilles vides.

Depuis, j'ai cherché à me rappeler ce curieux incident de *Trafalgar Square*.

Je n'ai jamais pu.

Il est vrai que je ne me rappelle pas davantage la prison du Yorkshire, le geôlier à jambe de bois, sa fille blanche et rose, le plum-pudding et les bouteilles d'ale.

C'est drôle, dans l'existence, comme on oublie tout.

Le gnou

À Coquelin Cadet.

Connaissez-vous le *gnou ?*

N'allez pas dire oui, ce serait de la pose ou tout au moins de la prétention, car ce n'est pas seulement la géographie que les Français ignorent, mais encore l'histoire naturelle, et je compte beaucoup sur le grand succès de Zola avec *Germinal* pour rendre mes compatriotes un peu plus naturalistes.

Eh bien ! si vous ne savez pas ce que c'est que le *gnou*, je vais vous l'apprendre.

Le *gnou* est une espèce de grande antilope de l'Amérique méridionale, qui tient du bœuf, du cerf et du cheval.

Le *gnou* n'est pas méchant, je suis le premier à le reconnaître, mais il n'est pas aimable.

Des professeurs de province déclarent même sans rire que ce mammifère est entièrement dépourvu de sociabilité.

Le *gnou* joue un rôle considérable dans certaines légendes brésiliennes. Gardez-vous, malheureux, de rencontrer le regard du *gnou*, vous deviendriez fou sur l'heure.

Voilà, du moins, ce qu'on murmure dans les pampas équatoriales.

Cette légende vint, un jour, à tomber sous les yeux de mon ami Prosper Guignard.

Et comme elle tombait bien !

Ce pauvre Prosper Guignard était le plus malheureux des hommes. Tout lui avait raté dans les mains, presque tout !

Quand, par hasard, quelque chose lui réussissait, c'est curieux, il n'en résultait pour lui aucune joie, aucune satisfaction.

Le bonheur était, pour cet infortuné, un mythe dont il n'avait même pas la notion.

Après avoir beaucoup réfléchi, après avoir pioché les systèmes de philosophie les plus divers, il en arriva à ce résultat qu'ici-bas, la seule forme du bonheur, c'est la folie.

Ah ! être fou !

Oui, mais voilà : pour certaines gens, il n'est pas plus facile de devenir fou que pour d'autres de rester raisonnable.

Prosper Guignard fit d'inutiles efforts vers une douce démence.

C'est à peu près vers cette époque que notre malheureux eut connaissance de la mauvaise réputation du *gnou* au Brésil.

Dès lors, son parti fut pris, et d'un pas alerte et plein d'espoir, il se dirigea vers le Jardin des Plantes.

Justement il y avait un *gnou*, un *gnou* tout frais, dans un beau petit parc entouré d'un beau petit grillage.

Des militaires, des bonnes d'enfants contemplaient béatement cet animal, sans se douter de la démence de Damoclès suspendue sur leur tête.

Mais le *gnou* ne les regardait pas, tout occupé qu'il était à paître l'herbe rase de son enclos.

Prosper s'approcha du grillage, toussa, cria, exécuta tout un petit manège pour attirer l'attention du *gnou*.

Probablement agacé de cette indiscrétion, le *gnou* gagna le côté opposé sans lever les yeux.

Prosper tourna le grillage, rejoignit le *gnou*, et recommença son manège.

Jusqu'au soir, cet exercice se prolongea, plus fatigant pour Prosper que pour le *gnou*, le diamètre étant à peu près trois fois plus court que la circonférence.

Cependant, le *gnou* finissait par donner des signes non équivoques d'impatience.

Heureusement qu'*on ferma*.

Le lendemain, Prosper revint dans l'après-midi.

Hélas ! plus de *gnou !*

Il s'informa près des gardiens.

– Monsieur, lui répondit-on, on l'a abattu ce matin... Nous ne savons pas ce qu'il avait, il était devenu comme fou !

Alors Prosper est devenu fou, lui aussi.

Il est heureux !

À tous ceux qui viennent le voir, il s'écrie :

– Prenez garde de rencontrer mon regard !... Je suis *gnou !* Je suis *gnou !*

La belle charcutière

Depuis cette malencontreuse histoire, je ne puis passer devant une charcuterie sans éprouver un serrement de cœur et une angoisse de regret.

C'était en... Je ne me souviens plus de l'année, mais, vous rappelez-vous la grève des cochers ? C'était à cette époque-là.

Je l'avais remarquée, un jour de flânerie dans le quartier du Temple. Elle trônait à son comptoir, au milieu des jambons, des cervelas en guirlandes, des gelées que le passage des omnibus faisait trembloter.

On peut dire qu'elle trônait, car vraiment on l'aurait prise pour une reine avec sa belle tête impassible et raisonnable, son front d'ivoire sur lequel s'abattaient deux bandeaux lisses de cheveux noirs. Les cils, également noirs, mettaient à ses yeux énormes de Junon un voile troublant.

Sur sa face admirable, blanche et noire, tranchait violemment la bouche très forte et très rouge. Cette pourpre jetait là comme une fanfare de belle santé et de volupté robuste.

La première fois que je la vis, je m'arrêtai cloué devant la vitre de la boutique.

Un client entra. Elle se leva pour le servir. Je vis qu'elle était grande et adorablement faite, un peu grêle peut-être. Debout, elle paraissait plus jeune qu'étant assise. Moins de vingt ans.

Le lendemain, étant revenu flâner par là, je me décidai à entrer. Le motif fut un saucisson qu'elle me servit avec une grâce charmante et sérieuse.

Et j'y revins tous les jours.

J'entrais, j'achetais des charcuteries variées que je distribuais ensuite à des petits apprentis du quartier.

Devant elle, sur le marbre du comptoir, s'étalaient les assiettes et les terrines. J'admirais sa merveilleuse habileté à trancher, d'un coup net de son couteau, le poids juste, un quart, un demi-quart.

J'avais remarqué que le comestible le plus éloigné était la hure aux pistaches. Quand on lui en demandait, elle se penchait, et alors on pouvait admirer sa taille souple comme un osier. Son cou, d'une blancheur de crème, s'allongeait, émergeant de son petit col plat qui paraissait blafard auprès de cette belle chair.

C'était toujours de la hure aux pistaches que je désirais. Et souvent, pour voir un peu plus de son cou, j'éloignais d'elle l'assiette à la hure, pendant qu'elle servait un client préalable.

Une fois même, je posai la hure tout au bord du comptoir. Elle fut obligée de se pencher et de tendre le cou très en avant, si bien que j'aperçus un affolant petit signe noir, une mouche dans du lait.

Un jour, je n'osai plus rentrer dans sa boutique (les amoureux sincères ont parfois de ces timidités brusques).

Je me contentai de passer et de repasser.

Et puis je n'osai même plus passer.

Il me semblait que les gens du quartier, les sergents de ville m'avaient remarqué et me montraient du doigt.

Un matin – je me souviendrai toujours que c'était un dimanche matin, – j'eus une idée géniale.

Les cochers venant de se mettre en grève, les compagnies avaient fait appel aux jeunes gens sans ouvrage et sachant conduire pour remplacer les grévistes.

Je me présentai.

Après un examen des plus sommaires, on me confia un fiacre qui semblait une ancienne berline d'émigré, traînée par un cheval évadé de l'Apocalypse.

Au petit trot – était-ce bien un petit trot que cette bizarre allure ? – nous nous amenâmes, le sapin, le carcan et moi, devant la boutique où régnait mon idole.

Au moins, maintenant, j'avais un prétexte pour stationner sur le trottoir.

Je me donnais des airs de cocher indifférent, de cocher à l'heure qui attend son client.

C'était un moment de presse. Les clients entraient, sortaient sans interruption, emportant leur marchandise soigneusement pour ne pas perdre la gelée.

Elle, debout, active, toujours sérieuse, débitait les comestibles sans jamais se tromper sur le poids ou sur la monnaie.

J'étais tout au charme de ce spectacle, quand soudain je songeai à ma situation de jeune cocher.

Je me retournai... Plus de berline ! Plus de *canasson*. Envolés, disparus !

Deux sergents de ville passaient.

Je leur racontai ma mésaventure.

Un attroupement se forma immédiatement. La foule prit une joie extrême à cet incident. Des gavroches, peut-être ceux que j'avais récemment gorgés de hure aux pistaches, me huèrent férocement.

Comme je devais avoir l'air bête !

Mais ma confusion ne connut plus de bornes quand j'aperçus sur la porte de sa boutique, ma belle charcutière elle-même riant de toute la nacre de ses dents superbes.

Dieu, qu'elle s'amusait !

Je ne suis jamais revenu dans ce quartier-là.

La mère

C'était toujours la première arrivée sur la plage, le matin.

De ma chambre, je la voyais venir avec ses cinq enfants dont l'aîné n'avait pas sept ans. Les trois *grands* marchaient devant. Elle portait sur un bras le tout petit dernier, et tenait de sa main libre un autre bébé d'environ dix-huit mois. Jamais de bonne avec elle.

Grande, svelte, distinguée, elle ne paraissait certainement pas les trente-deux ans, que je lui sus plus tard.

Point très jolie, sa physionomie était d'un charme inexprimable. Quand elle souriait, surtout, on restait sous la séduction d'une candeur exquise comme si la jeune fille qu'elle avait été revenait sourire dans les yeux et dans la bouche de la femme devenue.

Son mari, un grand bel homme d'un peu moins de quarante ans, arrivait régulièrement le samedi soir, et repartait, avec la même régularité, le lundi matin. Employé dans une grande administration.

Le reste de la semaine, elle restait seule avec ses enfants. Société charmante, car jamais je n'ai vu de plus beaux enfants, ni mieux portants, ni plus joyeux. Et c'était vraiment touchant de voir comme elle les aimait, ses chéris, et comme ils adoraient leur petite mère.

Au plus fort de leurs jeux, sans motif apparent, tout d'un coup, ils s'abattaient vers maman, comme une volée d'oiseaux, et c'était une tempête de baisers réciproques.

– M'man, ferme tes yeux.

– Pourquoi faire, Jacques ?

– Que j't'embrasse dessus.

Et mille autres charmantes folies qui font hausser les épaules aux imbéciles.

Le premier soir qu'ils étaient arrivés, le coucher de soleil avait causé aux enfants une angoisse terrible.

– Oh ! maman, maman, le soleil qui tombe dans l'eau ! Mais il va s'éteindre !

Alors, Jacques, qui frise *l'âge de raison*, les avait philosophiquement rassurés.

– Laissez donc, il doit être habitué, depuis le temps.

Je ne sais pourquoi, je m'était pris d'une ardente sympathie pour cette femme, sympathie mêlée de curiosité, car, j'en étais sûr, elle avait un passé peu banal.

Je n'eus pas, une minute, l'idée d'entrer en relation avec elle ; d'abord cela eût été odieusement indiscret, et puis, tout dans son attitude annonçait qu'elle était bien décidée à se contenter de la seule société de ses enfants. Quelques tentatives de ses voisines de plage étaient restées sans résultat.

Je fus plus heureux. Les enfants ont un flair particulier et infaillible pour deviner ceux qui les aiment. Tout de suite, je fus l'ami de ces bébés.

Jacques, surtout, ne pouvait pas se passer de moi. Il me demanda mon nom, et sans plus de façon, se mit à me tutoyer.

Je lui appris tous les jeux que je connaissais. Nous fîmes ensemble de redoutables fortifications en sable et galets, et plus d'une fois nous opposâmes à l'Océan des barrières de trente centimètres, qui entravèrent sa course pendant une bonne demi-minute.

Si bien qu'un beau dimanche, Jacques me présenta à son père, sans cérémonie, comme on présente un vieux copain.

Le papa me présenta à la maman, qui me remercia de ma complaisance à distraire ses enfants.

– Mais, madame, lui répondis-je, je n'ai aucun mérite à cela. Je m'amuse autant qu'eux.

J'avais frappé juste.

C'est la première fois que je vis l'adorable et candide sourire.

À partir de ce moment, je pus la saluer, échanger quelques paroles. Et puis, quand je vis que cela ne lui déplaisait pas, je m'assis parfois auprès d'elle.

Bientôt, nos relations devinrent plus intimes.

Elle me conta son histoire, car, je ne m'étais pas trompé, elle avait une *histoire.*

En 70, à seize ans, elle se trouvait fiancée à un de ses cousins, qu'elle aimait éperdument.

La guerre arriva, et les désastres et le siège.

Le cousin s'était engagé dans un régiment de ligne.

Le lendemain de Champigny, on le rapporta à Paris, les deux jambes broyées par les obus prussiens.

Après quinze jours d'atroces souffrances, il mourut.

Sa fiancée, qui ne l'avait pas quitté un instant, le soignant, le pansant elle-même, éprouva une douleur qui faillit la tuer.

Elle en revint pourtant, mais désespérée, dit adieu au monde et se fit sœur de Saint-Vincent-de-Paul, pour – en mémoire de son cher mort – soigner des soldats malades ou blessés, pendant toute sa vie.

Partout où l'on se battait, partout où l'on mourait, tué par les balles et les épidémies, sœur Marie allait, jamais lasse, jamais rebutée. Un besoin de se dévouer l'avait prise tout entière, insatiable.

Voilà bientôt dix ans, elle se trouvait dans un hôpital lointain du Sud-Oranais.

Des tribus s'étaient révoltées, et on fusillait ferme par là, un peu au hasard.

Un jour, dans le tas, une femme fut tuée, qui allaitait un tout petit enfant. Le capitaine, un bon diable, fut touché des cris du pauvre être, et au lieu de l'expédier rejoindre sa mère, le ramassa et le ramena à l'hôpital.

On confia le petit à sœur Marie.

Le jeune moricaud piaillait, à déchirer les tympans les plus solides. Ses menottes noires se déchiraient aux rudes plis de la robe de bure, cherchant à les ouvrir, car il avait senti qu'il y avait là un sein.

Sœur Marie pleurait de rage, à l'idée que ses mamelles étaient stériles, et elle fût morte joyeusement pour pouvoir donner un peu de ce bon lait chaud qui fait vivre les tout-petits.

Le sentiment de la maternité, qui sommeille chez toutes les femmes, s'était éveillé en elle, ardent, flamboyant, douloureusement âpre.

Et le petit meurtrissait ses poings sur les seins qui frémissaient de leur inanité.

Elle l'embrassait, le berçait et mouillait de ses larmes la pauvre petite tête grimaçante.

À la fin, on trouva du lait de chèvre sur lequel l'enfant se jeta goulûment, si goulûment qu'il mourut le soir même.

Une mère qui perd son enfant le plus cher n'éprouve pas plus de chagrin que n'en eut sœur Marie de la mort de ce petit Arabe qu'elle ne connaissait pas.

La maternité qui soudain avait surgi en elle, continua à la tenir exclusivement, hystériquement presque.

Elle n'essaya pas de lutter.

Un mois après, elle était rentrée dans sa famille.

Alors, posément, en ex-ambulancière qui sait ce que c'est qu'un homme, elle choisit celui qui serait le père de ses enfants.

Sa fortune lui permettait le choix.

Elle épousa un bon garçon, ni trop malin ni trop bête, mais gaillard superbe qui jusqu'à présent l'a faite mère cinq fois.

Et elle espère bien que ça n'est pas fini.

Obstination

Vous les avez souvent rencontrés, dans leur voiture, au Bois, mais vous ne les verrez plus.

C'est dommage, parce qu'ils constituaient à eux deux un bien joli échantillon de la race Taquouère la plus pure, lui pas beau, très brun, elle très brune, pas laide.

Maintenant qu'ils sont retournés dans leur Guatemala, je peux bien vous le dire, ils n'étaient pas mariés.

C'était tout un roman d'amour que je vous conterai, dès que j'aurai une minute.

Leurs noms : le général Timéo Danaos et doňa Ferentes.

L'aventure qui détermina le départ du général m'a paru assez piquante et point indigne de ma plume. La voici dans sa touchante simplicité.

Timéo est doué d'une énergie qui, mieux appliquée, aurait pu en faire un des hommes les plus remarquables de cette fin de siècle. Cette énergie se manifeste dans les plus petits actes de sa vie, dans ses défauts comme dans ses qualités.

Parmi ces dernières, je me plairai à citer le respect du contrôle administratif, l'amour de son prochain et une sage économie de ses deniers.

Quand je dis qu'il a le respect du contrôle, je pourrais dire qu'il en a l'idolâtrie. Pour Timéo, les contrôleurs sont les rois de la création.

Les contrôleurs de quoi ? me dites-vous.

Les contrôleurs de toute espèce, les contrôleurs, quoi !

Timéo aime les contrôleurs comme il respecte son prochain, avec toute sa *furia rastasquouera.*

Le malheur des autres lui arrache des torrents de larmes, et, pour sa part, il ne ferait pas de mal à une mouche cantharide.

Timéo n'est pas avare, mais il lui répugnerait singulièrement de payer 1700 francs un objet qu'il pourrait se procurer ailleurs pour quinze sous.

Maintenant que vous connaissez Timéo, son aventure va vous sembler moins étrange.

Bien que l'histoire se passe dans un chalet, vous pouvez écarter de votre esprit toute idée d'Helvétie. C'est un de ces chalets où l'on est accueilli par cette phrase hospitalière : Avec toilette, Monsieur ?

Timéo, dont c'était le début dans ce genre d'établissement, avait répondu non, à tout hasard.

Sa mission accomplie, il se préparait à se retirer, quand ses yeux tombèrent (c'est une façon de parler) sur une plaque émaillée où, sur un fond bleu, s'enlevaient des lettres blanches formant ce texte :

« Afin d'assurer le contrôle et d'éviter la révocation de la gardienne, le public est prévenu qu'une fois le verrou fermé, on ne doit plus l'ouvrir, sans quoi l'on s'expose à payer le double. »

Ainsi donc, il ressortait de cet avis, que si le verrou était ouvert ;

1° le contrôle ne serait plus assuré ;

2° la gardienne serait révoquée ;

3° Timéo-Danaos paierait le double.

– Et pourtant, se disait le général, je voudrais bien m'en aller.

Il essaya d'ouvrir la porte sans toucher au verrou.

Ce fut un four.

Toute tentative d'évasion dut être écartée, dès le principe.

Il eût fallu briser des vitres et exécuter une impossible gymnastique.

Timéo se rassit très découragé.

Au bout d'une heure, la préposée – une bien brave femme, ma foi – conçut des inquiétudes.

– J'ai vu des gens longs quelquefois, se disait-elle, mais jamais de si longs.

Elle frappa à la porte.

– Qui est là ? demanda Timéo.

– C'est moi, la veuve Henry Maugis, gardienne du chalet.

– Pauvre femme !

– Ouvrez donc, vous devez avoir fini !

– Si j'ouvre, vous serez révoquée, malheureuse !

– Mais non !... ouvrez donc !

– Si j'ouvre, le contrôle ne sera plus assuré...

– Mais si !... ouvrez donc !

– Si j'ouvre, je paierai double...

– Mais non !... ouvrez donc !

Timéo n'ouvrit pas, préférant souffrir mille morts que piétiner un seul de ses principes.

La veuve Henry Maugis, désolée, lui expliquait à travers la porte que ses principes n'avaient rien à craindre.

– En v'là un *ostiné !* clamait-elle.

De guerre lasse, on dut aller chercher trois employés supérieurs de l'administration.

Le chef du contrôle déclara solennellement que le contrôle ne risquait rien.

Le chef du personnel s'engagea non seulement à ne pas révoquer la gardienne, mais encore à la faire passer de première classe et à l'appeler à un poste plus important.

Le caissier jura qu'on ne réclamerait que le sou réglementaire.

Alors, seulement, Timéo se décida à tirer le verrou.

Il sortit, content de lui, mais écrasé par l'émotion.

Rentré chez lui, il dit à doňa Ferentes, d'un ton qui n'admettait pas de réplique :

– Fais ta malle, nous filons !

Et ils sont partis retrouver dans leurs pampas les grands *gyneriurn argenteum* qui sont l'ornement de ces vastes étendues de terrain.

Toutoute

Histoire triste pour la petite Marie-Anne Salis

– Moi, dit Zette, c'est la *toutoute* que je veux.

Toutoute, c'était tout simplement le féminin de *toutou* qui manquait à la langue française et que la petite Zette venait de créer sans coup férir.

Il s'agissait de deux petits chiens nouveau-nés, un *toutou* et une *toutoute* que l'on donnait à choisir à Mademoiselle Zette.

Le toutou échut au jeune fils du cordonnier d'en face. Il fut immédiatement baptisé *Black,* bien qu'il fût tout au plus gris fer.

Toutoute (le nom lui resta) s'installa dans une petite niche toute garnie de rubans roses et de grelots d'argent.

Zette en raffolait et rien n'était trop beau ou trop bon pour sa *Toutoute.*

Toutoute était donc la plus heureuse des jeunes chiennes. D'autant plus qu'elle jouissait en même temps des plaisirs de la famille.

Chaque matin, son petit frère *Black* arrivait en trottinant partager le bon lait sucré. Après avoir bien joué, bien cabriolé, Black qui était un toutou raisonnable, regagnait l'atelier de son jeune maître, et terminait sa journée en s'occupant avec des rognures de cuir.

Un dimanche matin qu'il faisait très froid, Zette en grande toilette, toute prête à aller déjeuner chez grand-mère, s'aperçut que *Toutoute* avait le poil tout mouillé et grelottait misérablement.

Zette prit *Toutoute* et l'enferma dans la petite armoire du poêle de la salle à manger, une armoire qui sert à faire chauffer les assiettes.

Et puis, on s'en alla chez grand-mère.

Quand on rentra le soir, la maman de Zette chercha *Toutoute.*

On appelait : *Toutoute ! Toutoute !*

Mais *Toutoute* ne répondait pas. Alors Zette se rappela :

– Elle était mouillée, je l'ai mise sécher dans l'armoire aux assiettes.

La pauvre *Toutoute* était là, raidie par la mort, asphyxiée.

La petite Zette regarda avec un peu de dégoût ce cadavre, mais elle ne pleura pas, malgré les paroles sévères de son papa, et elle alla se coucher.

Mais le lendemain, quand elle vit arriver *Black* cherchant sa sœur avec des petits jappements douloureux, Zette comprit toute l'horreur de ce qu'elle avait fait.

Son petit cœur creva et, prenant dans ses bras le pauvre *Black* désolé, elle éclata en gros, gros sanglots.

En première

– Une première, Paris.

– Je regrette beaucoup, madame, répondait l'homme d'équipe, mais il n'y a plus de train pour Paris.

– Comment, plus de train ? Mais celui de 9 h 12 ?

– Celui de 9 h 12, madame, passe maintenant à 8 h 47.

– Depuis quand ?

– Depuis avant-hier, madame, c'est le service d'été.

– Mais c'est horrible ! C'est horrible !

L'homme d'équipe esquissa un geste vague, comme pour protester de sa parfaite innocence dans le changement d'heure des convois.

– Et quand le prochain train ?

– Demain, madame, à 6 h 14... Il y a bien un express qui va passer tout à l'heure, mais il ne s'arrête pas ici.

– Pourtant, en demandant gentiment au mécanicien...

– Non, madame, vous n'auriez seulement pas le temps de l'apercevoir.

La situation était réellement ennuyeuse.

La pauvre jeune femme se laissa choir sur un banc et ne fut pas bien loin de pleurer.

Neuf heures à passer dans cette petite gare idiote !

Le village était loin d'une bonne lieue. Il pleuvait à verse. Quelle situation !

Alors elle entra dans une violente colère contre elle-même et contre tout le monde.

C'était trop bête aussi d'être venue dans ce pays ridicule, sur l'invitation de cette grue d'Éléonore. D'abord, si Éléonore l'avait invitée, c'était bien parce qu'elle s'ennuyait, dans ce trou perdu, et aussi pour poser, pour l'*épater*.

Son château ! Son parc ! Ses écuries !

Elle ferait bien mieux d'avoir un indicateur de chemin de fer un peu frais.

Et puis, cet imbécile de cocher qui la ramène à la gare et qui file sans seulement attendre que le train soit arrivé.

Si on l'assassinait, dans cette petite gare isolée ?

Le village est loin, la pluie tombe si fort qu'on n'entendrait pas ses cris.

Elle est toute seule avec l'homme d'équipe.

Ce dernier semble assez embarrassé de sa position.

Évidemment, il allait se coucher, quand Berthe est arrivée.

Berthe commence à avoir le trac.

Elle examine l'homme à la dérobée.

C'est un grand jeune garçon, admirablement découplé.

Il a des yeux très doux, la bouche est fine.

– Tiens, tiens..., fit Berthe, qui s'y connaît, mais il n'est pas mal du tout, ce garçon-là.

Non, il n'est pas mal, mais il semble de plus en plus gêné.

– Mon ami, reprend Berthe de sa voix la plus aimable, que me conseillez-vous de faire jusqu'à demain 6 heures.

– Madame, il y a justement sur la voie de garage un wagon de première qu'on a retiré d'un train ce matin à cause d'un accident à l'essieu... Si vous voulez y passer la nuit, vous serez toujours mieux que dans la salle d'attente.

La proposition est acceptée.

Le jeune homme prend sa lanterne et conduit Berthe.

Les coussins s'entassent dans un compartiment et forment un moelleux sofa.

– C'est très bien, fait Berthe, mais je vais avoir une peur mortelle, toute seule, sur cette voie.

– Si madame veut, je vais coucher dans le compartiment à côté.

Berthe accepta la proposition de grand cœur, mais dans le courant de la nuit, sans doute dominée par l'effroi, elle exigea que le jeune homme vînt habiter son propre compartiment.

L'humble prolétaire parut enchanté de la proposition.

(Il est inutile, a dit Scribe, de porter une redingote pour qu'un cœur généreux et galant batte dessous.)

Que se passa-t-il dans le compartiment ?

Il est probable qu'on eut beaucoup de peine à s'endormir (la nouveauté de la situation, vous savez).

Au petit jour, rien ne bougeait dans le wagon.

Le chef de gare, un peu inquiet, cherchait son homme.

Un grondement sourd vint du lointain.

Alcide (l'homme d'équipe avait eu l'occasion de dire à Berthe qu'il s'appelait Alcide), Alcide, dis-je, sauta sur ses pieds :

– Nom d'un chien ! s'écria-t-il, le train de 6 h 14 !

Berthe s'étira voluptueusement comme une grande chatte lasse :

– Déjà ! fit-elle.

Histoire de Noël

Quand j'y pense, mon Dieu ! comme c'est loin ces temps-là ! Et dire que ça ne reviendra jamais !

Je venais d'arriver à Paris, tout jeune, très bon, effroyablement timide et vigoureux, comme je ne le fus jamais depuis.

C'était le jour de Noël.

Je n'avais pas, à cette époque, les brillantes relations que je me suis acquises depuis, dans le monde des Lettres et des Arts.

Ah ! si on m'avait dit, ce jour-là, qu'une nuit viendrait où je fêterais la naissance du Christ en mangeant du boudin, de concert avec Loulou-Lévy et Mlle Gilberte !

Donc, je ne connaissais alors que de vagues familles bourgeoises, honnêtes, mais dénuées de fantaisie, et la seule idée de réveillonner en ces milieux me donnait une folle envie d'aller me coucher.

Il faisait un froid sec comme un coup de trique.

Les talons des passants sonnaient sur le sol dur, et les voitures tumultueuses roulaient sous les étoiles claires.

Je marchais par les rues, sans but, un peu triste.

Une jeune femme jolie que je suivis m'entraîna, sans le savoir, jusque dans le fond des Batignolles.

Puis, la jeune femme jolie rentra chez elle et je me trouvai seul, dans la nuit.

Les passants se faisaient de plus en plus rares.

Une femme en deuil marchait devant moi, portant dans ses bras une fillette de quatre à cinq ans. La femme suppliait : Je t'en prie, ma chérie, marche un peu, je n'en puis plus.

La voix de la petite répondait, geignarde : Oh ! non, maman, porte-moi encore, sis lasse, sis lasse.

Et ce mot *lasse* s'allongeait dans la bouche de la petite comme pour exprimer une incommensurable fatigue.

Elles semblaient d'ailleurs aussi lasses l'une que l'autre, les pauvres ! Le pas de la mère s'alourdissait, et je sentais que, malgré son énergie, elle allait bientôt s'arrêter.

Je pris mon courage à deux mains et, rouge comme un coq, je m'avançai :

– Voulez-vous me permettre, madame, dis-je, de porter votre petite fille un bout de chemin ?

Se méprenant sans doute sur mes intentions, la femme me répondit par un merci sec.

J'insistai et, avec moi, la petite fille.

– Oh ! si, maman, laisse le monsieur me porter... Il est fort, lui.

Et je la pris dans mes bras.

Elle enfonça dans mon cou ses menottes froides comme deux glaçons. J'eus un grand frisson dans le dos, ce qui la fit beaucoup rire.

Rassurée enfin par mon air convenable et ma voix douce, la maman me raconta comment elle se trouvait par les rues à cette heure.

Elle avait dîné chez son beau-frère. On s'était attardé à causer. Les derniers omnibus complets. Forcée de rentrer à pied, et il y a loin des Batignolles à la Villette.

La fillette s'était endormie dans mes bras.

À la lueur des réverbères, je voyais sa petite tête pâlotte et fine qui reposait sur mon épaule en toute confiance, et je ne pouvais m'empêcher de l'embrasser à la dérobée.

Tous les cent pas, la mère se récriait :

– Mais non, monsieur, c'est trop, je puis bien la porter maintenant. Vous êtes trop bon.

Je lui répondais :

– Chut !... vous allez la réveiller.

Oui, c'était loin. Tout en haut de la rue de Flandre.

Mais je tenais bon, autant, maintenant, par amour-propre que par charité.

Enfin, nous arrivâmes.

La mère exigea que je lui donnasse mon nom et mon adresse, pour pouvoir me remercier.

La petite, réveillée brusquement, grognait. Elle refusa obstinément de me remercier.

Je rentrai chez moi au petit jour, plus heureux de ma nuit que si j'avais fait le réveillon avec M. Thiers.

Et puis, d'année en année, j'oubliai presque cette histoire.

L'année dernière, je tombai amoureux d'une petite jeune fille qui jouait la comédie au théâtre Montmartre.

Une petite jeune fille comme je les aime, pas trop sage, mais pas trop grue.

Je connaissais son histoire.

Son premier et unique amant l'avait lâchée pour se marier, lâchée proprement, lui laissant une petite rente *pour s'établir*.

Elle s'était mise au théâtre, par vocation. Le soir, elle prenait l'habitude des planches sur les petites scènes, et dans la journée, piochait avec le bon M. Talbot, les rôles tragiques et comiques de tous les répertoires.

Mes avances, l'avouerai-je, furent accueillies froidement.

Elle consentait à ce que je l'accompagnasse de chez M. Talbot jusqu'à la porte cochère de son immeuble, et c'était tout.

Un jour, dans cette promenade, nous rencontrâmes un de mes amis qui m'interpella par mes nom et prénom.

Elle s'arrêta, interdite :

– Comment, c'est vous ? fit-elle.

À partir de ce moment, ses manières avec moi changèrent complètement. Je pus la ramener chez elle le soir, et l'embrasser en la quittant. Elle ne me décourageait plus.

Le soir de Noël, je la vis dans sa loge et l'invitai à souper.

– Justement, me dit-elle, j'allais vous le proposer, mais chez moi, sans façon.

On m'aurait ouvert les portes du Paradis que ma félicité n'eût pas été plus complète.

Nous soupâmes gaiement tous deux, en tête-à-tête, dans sa chambre, au coin d'un bon feu.

Jamais je ne l'avais vue plus jolie et plus tendre.

Elle s'était mise à son aise, en un grand peignoir mauve.

Nous avions fini de souper et nous causions.

Le lit, tout près, un grand lit séduisant, me faisait terriblement *loucher.*

Elle s'en aperçut et, tendant vers moi ses bras nus dans les manches flottantes, me dit avec une voix de petite fille gâtée :

– T'en prie... porte-moi à dodo.

– Quelle drôle d'idée !

Alors elle reprit son ton naturel.

– Tu m'as déjà portée plus loin que ça... Et il paraît que je n'ai pas voulu te remercier.

Je devinai tout. C'était elle, la petite fille de la Villette.

Maintenant, je voyais dans ses grands cils trembloter deux petites larmes. Je les séchai d'un baiser, en l'appelant : grosse bête !

Peau-de-Balle

On avait tellement l'habitude, au régiment, de l'appeler Peau-de-Balle, que, maintenant, impossible de retrouver son vrai nom.

Aussi, si vous n'y voyez pas d'inconvénient, va pour Peau-de-Balle !

Un étrange type, ce Peau-de-Balle, mystérieux, flemmard comme une brigade de lézards, loyal à faire pâlir Bayard et sa descendance.

Je l'ai vu exécuter bien peu de corvées, mais jamais, au grand jamais, je ne l'ai entendu proférer le plus petit mensonge, tenter la plus mince carotte contraire aux lois de l'honneur.

Un matin, je me souviens, brrr... cochon de froid !

Le réveil était sonné, les hommes s'habillaient vite, maugréant contre le Dieu qui se fichait vraiment un peu trop du pauvre soldat.

Quelques hommes étaient restés au lit, des employés, des ordonnances, Peau-de-Balle et moi.

Le sergent de semaine sortait de sa chambre, gueulant selon l'usage :

– Allons ! sac au dos, tout le monde en bas !... L'homme de chambre, ouvrez les fenêtres !... Les malades ?

– Moi, fis-je sous mes couvertures, d'une voix moribonde.

– Porte-moi malade aussi, cria Peau-de-Balle.

(Il tutoyait le sergent, l'ayant connu simple biffin.)

– Comment ! tu es malade, Peau-de-Balle ?

– Je ne te dis pas ça, je te dis de me *porter*, ça n'est pas la même chose.

À la visite, je racontai au major je ne sais quelle gastralgie, et, dans la crainte de ne pas être reconnu, je donnai sur mon mal des détails à faire dresser les cheveux d'une âme sensible.

(Les cheveux d'une âme ?)

Le major interrompit ma litanie et m'exempta de service pour un jour.

Puis vint le tour de Peau-de-Balle.

Contrairement aux autres *malades*, il s'avança d'un pas assuré, la physionomie paisible.

– Et vous ? fit le médecin.

– Ça va bien, docteur, je vous remercie... un peu froidement.

– Comment... ça va bien !... Eh bien ! alors, qu'est-ce que vous faites ici ?

– Il faisait tellement froid, ce matin, que je me suis fait porter malade pour rester deux heures de plus au lit.

Le docteur était jeune, bon garçon et jovial.

– À la bonne heure ! s'écria-t-il, j'aime mieux votre franchise que toutes les histoires à dormir debout que vient de me raconter votre camarade (*c'était moi, le camarade*). Exempt de service !

Nous passâmes la journée ensemble, chacun sur un lit voisin, enveloppés dans les couvertures, comme les serpents précieux du Jardin des Plantes. Nous bavardâmes longuement.

Peau-de-Balle, très silencieux sur ses antécédents civils, me raconta une foule de détails sur sa vie militaire.

Engagé pour cinq ans, il arrive à la compagnie.

Le capitaine l'interroge :

– Vous savez lire ?

– Oui, mon capitaine.

– Écrire ?

– Oui, mon capitaine.

– Compter ?,

– Pas beaucoup, mon capitaine.

Le lendemain, le capitaine apprend que la recrue est bachelier ès sciences. Furieux, il interpelle le futur Peau-de-Balle.

– Dites donc, vous ! Vous vous êtes foutu de moi, hier !

– Mon capitaine ?

– Vous m'avez dit que vous ne saviez pas compter... et vous êtes bachelier ès sciences !

– Ça ne prouve rien, mon capitaine.

Malgré sa résistance, on mit Peau-de-Balle au peloton des élèves caporaux. Il ne cessa de protester.

– Je ne suis pas ambitieux, disait-il ; non, mon capitaine, non, je ne veux rien être.

– Mais alors, pourquoi vous êtes-vous engagé ?

– Justement, mon capitaine... pour être tranquille cinq ans.

Malgré tant de mauvaise volonté évidente, il fut nommé caporal au bout de peu de temps.

Le soir même de la nomination, le nouveau titulaire disparut, et on ne le revit que le surlendemain.

Le colonel, vexé, cassa Peau-de-Balle de son grade et le mit à l'ombre pour quinze jours.

Peau-de-Balle ne vit dans cette aventure que la joie d'être débarrassé de ses galons rouges.

À l'issue de sa prison, Peau-de-Balle fut remis d'office élève caporal. Mais, cette fois, il trouva un biais.

Il y avait une place vacante d'élève tambour.

Peau-de-Balle la prit.

Dispositions étonnantes ! Les *fla* et les *ra* vibrèrent bientôt sous ses doigts exercés.

Au départ de la *classe*, Peau-de-Balle passa tambour *en pied*.

Nouvelle disparition, nouvelle prison, nouveau *cassage*.

Le capitaine, aussi entêté que Peau-de-Balle, insista pour qu'il fût élève quelque chose.

– Un bachelier ès sciences, que diable !

– Puisque je vous dis que j'ai été reçu par protection !

Élève musicien, cette fois.

Je ne veux pas fatiguer mes lectrices en leur contant la troisième édition de la même histoire.

Qu'il leur suffise de savoir que, dorénavant, on laissa tranquille l'obstiné.

Peau-de-Balle reprit à la compagnie sa situation modeste de soldat de deuxième classe.

Très paresseux, il détestait les corvées. Contemplatif, il adorait et recherchait les factions.

Jamais une carotte, mais des façons à lui de *couper* aux choses pénibles. Exemple :

– Peau-de-Balle, à la corvée d'ordinaire !

– Non, répondait Peau-de-Balle d'une voix calme, pas aujourd'hui.

– Pourquoi, pas aujourd'hui ?

Alors Peau-de-Balle croisait ses bras sur sa poitrine, regardait le caporal bien dans les yeux, lentement :

– Qu'est-ce que tu veux, disait-il, que j'aille foutre à la corvée d'ordinaire aujourd'hui ?

Vous me croirez si vous voulez, mais je vous affirme que le caporal, ainsi interpellé, n'insistait pas et s'empressait de commander un autre homme.

Et personne ne murmurait, dans la chambrée.

(Suggestion, peut-être.)

Un jour, Peau-de-Balle m'annonça, comme la chose la plus simple du monde :

– Tu sais, je m'en vais jeudi.

– Tu t'en vas... où ?

– Chez moi. Mon temps est fini.

– Et tu m'annonces ça... comme ça !

Véritablement, je m'étais pris, pour cet étrange garçon, d'une bonne amitié, et l'annonce brusque de son départ m'affligeait sincèrement.

Il s'en aperçut, et souriant drôlement :

– Moi aussi, je te gobais, et, pour te le prouver, je vais te laisser un cadeau. Écoute bien :

Quand tu seras de garde, demande à être de faction de nuit à la poudrière.

Dans le hangar, sous un amas de bois, tu trouveras une échelle, tu la tireras, et tu l'appliqueras contre le mur, près de la fenêtre où se trouve un pot de géranium.

Tu siffleras l'air de la *Romance de l'étoile*, tu sais : *Ô douce étoile, astre du soir, toi que j'aime toujours revoir...* et tu attendras. Une dame descendra. Elle sera un peu étonnée de te voir. Tu lui expliqueras que mon temps est fini et que je suis parti. Elle pleurera. Tu la feras asseoir dans le hangar, sur les madriers, et tu la consoleras.

Peau-de-Balle quitta le régiment.

Le lendemain de son départ, j'étais de garde, remplaçant un camarade, ébahi de ma complaisance.

La nuit vint.

Je vous raconterai le reste un jour que j'aurai une minute à moi.

Par analogie
HISTOIRE D'ÉTÉ

Prologue

C'était aux heures bénies où j'étais encore étudiant.

Demandez à Dieu, ô familles, que vos fils soient plus studieux que moi et moins débauchés.

De mes années d'études, je n'ai gardé nul souvenir glorieux, nulle lauréation, nulle félicitation de mes maîtres.

Oh ! l'interminable flâneur que je fus, par le Luxembourg, par les quais, par – au soleil – les terrasses des brasseries.

Je ne dis pas ça pour me vanter, car je sais bien que c'est très vilain d'agir de la sorte.

J'ai brisé mon avenir une quinzaine de fois. Il en est résulté pour ledit avenir une souplesse de clown pris tout jeune.

Et puis, l'avenir n'étant séparé du passé que par le présent, et le présent n'existant point... alors quoi ?

Enfin, pour tout dire, j'allais au café et je passais dans ce mauvais endroit mainte soirée qui eût été plus fructueusement occupée à des études arides sur le moment, mais par la suite, rémunératrices.

Entre mes camarades habituels, s'en distinguaient deux qu'on aurait pu appeler les antipodes du tumulte.

L'un, Georges Caron ; l'autre, Victor Ducreux.

Georges Caron, vacarmeux comme une chaudronnée de diables cuisant dans l'eau bénite, nous assourdissant par ses réflexions oiseuses, infiniment répétées sur un ton de fausset malplaisant.

Victor Ducreux évoquait l'idée d'un sépulcre soigneusement capitonné. Jamais un mot, sauf, en des cas désespérés, un blasphème bref et sourd.

Or, voici ce qui advint un jour :

I

Ou plutôt un soir.

Nous étions réunis tous au fond d'un petit cabaret de la rue Monsieur-le-Prince qui s'appelait le Coucou et que la pioche des démolisseurs a fait disparaître depuis.

Encore un coin du vieux Paris..., etc.

Pourquoi Georges Caron se taisait-il à ce moment, et depuis quelques moments, et quelques moments ensuite ?

Quoi qu'il en soit, ce mutisme nous anormalisa tant et tant, que, d'une clameur commune, nous dîmes :

– Tiens ! Caron n'est donc pas là !

II

Au même instant – saura-t-on jamais pourquoi ? – le sépulcral Ducreux se mit à jacasser, jacasser : telle une nichée de jeunes pies borgnes.

L'abus des boissons fermentées ? ou si c'était quelque autre surexcitation cérébrale ?

Quoi qu'il en soit, cette bruyance nous anormalisa tant et tant, que, d'une clameur commune, nous dîmes :

– Tiens ! Ducreux n'est donc pas là ?

III

(Comme je vous ai avertis plus haut, c'est une histoire d'été.)

Délicatesse

Le guano est un bel oiseau.

WILLY.

Eh bien ! oui, là, je vais me marier.

Une bêtise, vous dites ? Je le sais aussi bien que vous.

On n'épouse pas ces femmes-là, vous dites ? Vous voyez bien que si, puisque j'en épouse une.

Je voudrais bien vous voir à ma place, vous qui parlez. Et tout cela, c'est la faute à la boue.

Quelle drôle de chose, la boue de Paris !

À la campagne, oui, je comprends qu'il y ait de la boue. La pluie délaye la terre, et voilà.

Mais à Paris ? La pluie ne peut pas délayer les pavés, ni l'asphalte. Alors, quoi ?

Quand je serai immensément riche (dans la première quinzaine de février) je fonderai un prix de trois cent cinquante mille francs attribué au meilleur travail sur *La Boue de Paris à travers les âges*.

Je dis *la boue de Paris*, mais je pourrais dire *les boues*, car il y en a autant d'espèces que de rues dans la capitale.

Toutes choses égales d'ailleurs, selon les quartiers, il est des boues dures, il est des boues fluides, il est des boues noires, il est des boues grises. J'en ai même vu des violettes. (Je dois ajouter que c'était dans un tableau de Henri Rivière.)

Une boue que je vous recommande particulièrement, c'est la boue de la rue des Martyrs.

On dirait du cold-cream en deuil.

Douce, onctueuse, lubrifiante, elle pourrait être préconisée par nos sommités médicales contre les engelures et les crevasses au sein.

Elle me rappelle, en plus foncé, le *dégras*.

Est-ce qu'on se servait des dégras, dans votre régiment ?

Chez nous, au 119e, il était prescrit aux *hommes* d'enduire leurs chaussures de dégras une fois par semaine.

Ce produit n'a pas son pareil pour entretenir et assouplir le cuir. Nous avions même un capitaine qui prétendait que ça le nourrissait.

Fichue nourriture !

Seulement, le lendemain du dégras, c'était le diable pour faire reluire les godillots.

Chaque fois que je parle de dégras, je ris aux larmes d'une excellente farce que je fis à un petit jeune homme qui était arrivé au régiment le jour même.

Il dégustait sa gamelle mélancoliquement.

J'engageai la conversation :

– Eh ben ! mon vieux, l'appétit va-t-elle ?

– Pas trop... je n'aime pas le bœuf.

– Pourquoi ne mets-tu pas de la moutarde avec ? ça passerait mieux.

– De la moutarde ? je veux bien... où est-elle ?

Obligeamment, je lui apportai le pot au dégras.

Le pauvre petit, sans défiance, accepta sur le couvercle de sa gamelle une ample portion de ce produit et y trempa abondamment une bouchée de *bidoche*.

Moi, je me tordais littéralement sur mon lit.

Le plus comique de l'aventure, c'est que ce jeune garçon en faisant des efforts terribles pour vomir, se cassa quelque chose dans l'estomac et mourut dans la nuit, à l'hôpital.

Je n'ai jamais tant ri.

L'onctuosité, qualité appréciée dans le cold-cream et chez les prélats (avez-vous remarqué comme les prélats sont onctueux ?) constitue pour la boue de la rue des Martyrs une attribution redoutable.

Elle rend le pavé glissant.

Et voilà précisément où je voulais en venir.

L'autre soir, je rentrais chez moi.

Il avait plu toute la journée.

Le sol se trouvait tellement lubrifié, que les gens marchaient avec des précautions infinies, tels des marins sur un beaupré enduit de savon noir.

Jusqu'à ce moment, l'axe de mon corps s'était maintenu dans une verticale relative. À la hauteur du Café des Martyrs, v'lan ! Les pieds me manquèrent et je m'abattis sur l'asphalte du trottoir.

Ah ! j'étais propre !

Confus, honteux, ridicule, je perdais la tête au milieu de cette foule qui s'amusait beaucoup de ma mésaventure, quand je me sentis tirer par la manche.

Une petite blondinette me disait : Venez chez moi, je vous donnerai un coup de brosse.

Elle demeurait en face.

Dans ces moments-là, on ne pense pas à faire son malin : j'acceptai.

La blondinette me dépouilla de mes vêtements, les essuya, les brossa avec un soin tout maternel et leur refit une virginité.

Pendant ce temps, j'examinais le local, d'un eeil scrutateur.

À n'en pas douter, je me trouvais dans la chambre d'une marchande d'amour.

Je ne crus pouvoir mieux lui témoigner ma reconnaissance qu'en lui offrant ma clientèle... immédiate.

Mais elle se dégagea doucement de mon étreinte, murmurant : Non... non... je ne veux pas.

– Mais pourquoi ne veux-tu pas ?

– Parce que !

– Parce que quoi ?

– Parce que tu dirais que c'est pour ça que je t'ai donné un coup de brosse.

C'était absurde, mais elle n'en voulut pas démordre, la blondinette.

Le plus embêtant, c'est qu'elle était très gentille.

Je revins le lendemain.

Encore elle repoussa mes avances avec son éternel : « Non, je ne veux pas... Tu dirais que c'est pour ça que je t'ai donné un coup de brosse. »

– Puisque je t'assure que je ne le dirai pas !

– Tu le penserais, c'est la même chose.

Je suis revenu tous les jours et tous les jours j'ai essuyé le plus impitoyable des refus.

Cette délicatesse m'a touché, et, avant quinze jours, la blondinette sera la mère de mes enfants.

Erreur

C'est gentil, la campagne, mais ça finissait par être rasant, cette année-là.

Et puis, Suzanne, si drôle à Paris, si diable, si je-m'en-fichiste, s'était-elle pas avisée de prendre des airs de *respectability*, des attitudes de maîtresse de maison !

En allées les rigolades !

Un sale temps, de la pluie avec, rarement, comme un sou à un malheureux, un pauvre petit rayon de soleil de rien du tout.

Ah ! c'était gai !

Et les voisins, donc !

J'ai vu bien des voisins dans ma vie, mais jamais de si bêtes, de si macabrement goitreux.

Si bêtes, ces pauvres gens, qu'il faisait tout le temps clair de lune dans le pays.

Mon Dieu ! mon Dieu ! en voilà un été !

Des envies me prenaient, assez fréquentes, d'étrangler Suzanne, pour me procurer l'occasion de rentrer à Paris, fût-ce dans les parages du boulevard Mazas.

– C'est épatant ce que tu as l'air de t'amuser avec moi ! répétait Suzanne avec un air sec de dépit rageur.

– Moi ? Je n'ai jamais tant ri ! répliquais-je régulièrement, en me décrochant la mâchoire.

– Si je ne te suffis pas, invite tes amis.

Excellente idée.

J'écrivis à quelques camarades, les meilleurs et les plus joyeux, des lettres dont je ne garantis pas la teneur exacte, mais dont voici l'esprit :

Mon vieux Machin,

Fais-moi donc l'amitié de venir passer la journée de dimanche chez moi, avec ta chacune.

Je ne te garantis pas que tu t'amuseras à en perdre la raison, mais ça me changera un peu, moi.

Plus un post-scriptum contenant l'indication du train le plus avantageux.

Le dimanche arriva.

Dès l'aube, Suzanne remuait des casseroles et des fourneaux à croire qu'on attendait un régiment de cuirassiers poméraniens.

Elle avait engagé, en outre de la petite bonne qu'on employait journalièrement, des femmes de ménage du pays, vigoureuses, antipathiques et soûlardes.

Mes amis devant arriver à 9 h 22, je quittai la maison à 7 heures, car notre villa était séparée de la gare par une distance qui ne mesurait pas moins d'un demi-kilomètre.

Il est utile d'ajouter que ce demi-kilomètre s'émaillait d'un fourmillement de guinguettes, dont chaque patron était mon meilleur ami.

Ah ! les braves amis que ces bons troquets, et derrière quels fagots n'allaient-ils pas chercher, pour moi, leur vermouth-cassis de la Comète et leur bitter-havrais de 64 !

Pourtant, le train arriva.

De jeunes hommes sautèrent sur le quai, et aussi des jeunes femmes.

Les jeunes femmes étaient les chacunes des jeunes hommes.

Bonjour, Un tel ! Comment ça va, Chose ? Comme te voilà jolie, petite Machine ! Et toi, Patati ? Et toi, Patata ?

Dans la bande qui arrivait si vacarmeusement remplir ma journée, il y avait deux têtes que je ne connaissais pas. On nous présenta :

– Notre ami le baron Martin, lieutenant de spahis.

Je m'inclinai ; mais le baron Martin me déplaisait déjà.

– Notre petite camarade Louise, dit Mouillette, une des gloires de la modisterie de la rue de la Paix.

Je m'inclinai, mais Mouillette me plaisait déjà jusqu'au délire.

Les événements qui s'accomplirent en cette journée ne firent que confirmer mes impressions premières.

Le baron Martin, un grand garçon, très distingué, avec une mâchoire de cheval, bavard, gesticulatoire, faisant s'occuper de lui tout le monde, sortant à propos du moindre événement des anecdotes personnelles :

– Moi, il m'est arrivé mieux que ça. À Constantine...

Des fois, c'était à Médéa qu'il lui était arrivé mieux que ça, ou bien à Tlemcen. Ah ! Zut !

La jeune Mouillette, une trop grosse petite blonde cendrée, de pas vingt ans, avec des yeux gris clair, enveloppés de cils noirs, des yeux qui lui servaient à sourire, à rire et même à se tordre. Aimez-vous les jeunes femmes qui rient avec leurs yeux ?

Je tins à présenter mes invités à mes amis les mastroquets suburbains qui, je dois le reconnaître, improvisèrent à cette occasion de bien remarquables vins blancs.

Il était beaucoup plus près d'une heure que de midi (date fixée) quand nous arrivâmes à la maison.

Suzanne, en peignoir bleu, attendait au haut du perron.

Elle fut charmante pour le baron Martin et un peu froide pour Mouillette.

On se mit à table.

Était-ce l'air de la campagne, étaient-ce les apéritifs ? On dévora les aliments, comme si chaque vermouth avait fait office d'excavateur.

Le baron Martin, surtout, jouait terriblement de sa mâchoire de cheval. Et je pensais, à part moi :

– Tu ne dois pas être bien heureux, toi, dans le désert.

Ce qui ne l'empêchait pas d'ailleurs d'être, avec Suzanne, beaucoup plus aimable.

Ah ! si j'avais été jaloux !

Mais j'étais tout entier au spectacle de la gentille Mouillette mangeant, elle aussi, comme une sourde, sans se déconcerter autrement de l'accueil froid de Suzanne.

Quand on fut dans les bois, après déjeuner, je laissai le baron Martin, Suzanne, tous les autres et toutes les autres, aller cueillir des fleurs agrestes, et je manœuvrai, tel un torpilleur, pour m'approcher de Mouillette.

J'avais un double but, m'approprier Mouillette tant pour elle-même que pour me venger du baron Martin, car pour moi pas un doute que Mouillette ne fût la bonne amie du cavalier colonial.

J'engageai la conversation en flanquant sur les fesses de la jeune personne une grande claque.

Je me fis mal à la main.

– Hein ! fit Mouillette.

– Tous mes compliments, Mademoiselle.

– De quoi, Monsieur ?

– De la consistance de votre derrière.

– Qu'est-ce que ça veut dire, la consistance ?

– Ça veut dire que vous avez le derrière bigrement dur.

– Vous n'êtes pas le premier qui me dise ça. Ainsi, à l'atelier, mes camarades m'appellent Cul-de-Buis.

– Et ça ne vous fâche pas ?

– Ça me fâcherait bien plus si on m'appelait Cul-de-colle-de-pâte.

Mouillette avait de l'esprit, j'étais conquis.

Peu de minutes après cette causette, je constatais, dans le coin le plus sombre du bois, que ce n'était pas seulement son derrière qui était de buis.

Des clameurs retentirent.

Je reconnaissais la voix de mon ami Georges qui appelait : Mouillette ! Mouillette !

– Georges ! Georges ! par ici ! clamai-je à mon tour.

– Vous êtes fou, dit Mouillette, d'appeler Georges.

– Mais non, mais non, ça l'amusera, Georges !

Et nous apercevant, la stupeur de Georges fut tout de suite croissante :

– Qu'est-ce que vous foutez ici, tous les deux ?

– Je vais te dire : ce grand couillon de baron fait la cour à Suzanne, alors, je me venge.

– Comment... tu te venges ?

– Oui, sur Mademoiselle.

– Mais, malheureux, c'est ma bonne amie, mademoiselle !

– Ah ! mon pauvre vieux, je te demande bien pardon.

Fausse manœuvre

Un beau matin, on vit débarquer à Honfleur, arrivant par le steamer du Havre, un grand vieux matelot, sec comme un coup de trique, et si basané que les petits enfants le prenaient pour un nègre.

L'homme déposa sur le parapet le sac en toile qu'il portait et tourna ses regards de tous côtés, en homme qui se reconnaît.

– Ça n'a pas changé, murmurait-il, v'là la Lieutenance, v'là l'hôtel du Cheval blanc, v'là l'ancien débit à Déliquaire, v'là la *mairerie*. Tiens, ils ont rebâti Sainte-Catherine !

Mais c'étaient les gens qu'il ne reconnaissait pas.

Dame ! quand on a quitté le pays depuis trente ans !

Un vieillard tout blanc passait, décoré, un gros cigare dans le coin de la bouche.

Notre matelot le reconnut, celui-là.

– Veille à mon sac, dit-il à un gamin, et il s'avança, son béret à la main, honnêtement.

– Bonjour, cap'taine Forestier, comment que ça va depuis le temps ?... Comment ! vous ne me remettez pas ? Théophile Vincent... *la Belle Ida*... Valparaiso...

– Comment ! c'est toi, mon vieux Théophile ? Eh bien ! il y a bien longtemps que je te croyais *décapelé ?*

– Pas encore, cap'taine, ni paré à ça.

Pendant cette conversation, de vieux lamaneurs, des haleurs hors d'âge s'étaient approchés, et à leur tour reconnaissait Théophile.

Vite il eut retrouvé d'anciens amis.

Et ce fut des : Et un tel ? – Mort. Et un tel ! – Perdu en mer. Et un tel ? – Jamais eu de nouvelles.

Quant à la propre famille de Théophile, la majeure partie était *décapelée*, comme disait élégamment cap'taine Forestier.

Deux nièces seules restaient, l'une mariée à un huissier, l'autre à un cultivateur, tout près de la ville.

Théophile, que trente ans de mers du Sud avaient peu disposé à la timidité, ne se laissa pas influencer par les panonceaux de l'officier ministériel.

Son sac sur le dos, il entra dans l'étude.

Un seul petit clerc s'y trouvait, très occupé à transformer en élégante baleinière une règle banale.

Théophile considéra l'ouvrage en amateur, donna à l'enfant quelques indications sur la construction des chaloupes en général et des baleinières en particulier, et demanda :

– Irma est-elle là ?

– Irma, fit le clerc, interloqué.

– Oui, Irma, ma nièce.

– Elle déjeune là.

Sans façon, Théophile pénétra. On se mettait à table.

– Bonjour, Irma ; bonjour, monsieur. C'est pas pour dire, ma pauvre Irma, mais t'as bougrement changé, depuis trente ans. Quand je t'ai quittée, t'avais l'air d'une rose mousseuse, maintenant on dirait une vieille goyave.

Le mari d'Irma faisait une drôle de tête. Un sale type le mari d'Irma, un de ces petits rouquins, mauvais, rageurs, un de ces aimables officiers ministériels dont le derrière semble réclamer impérieusement le plomb des pauvres gens.

Irma non plus n'était pas contente.

Bref, Théophile fut si mal accueilli, qu'il rechargea son sac sur ses épaules et revint sur le port.

Il déjeuna dans une taverne à matelots, paya des tournées sans nombre et se livra lui-même à quelques excès de boisson.

Le soir était presque venu lorsqu'il songea à rendre visite à Constance, sa seconde nièce.

Une femme des champs, pensait-il, je vais être accueilli à bras ouverts.

Quand il arriva, tout le monde dévorait la soupe.

– Bon appétit, la compagnie !

Constance se leva, dure et sèche :

– Qué qu'vous voulez, vous, l'homme ?

– Comment ! tu ne me reconnais pas, ma petite Constance ?

– Je n'connais pas d'homme comme vous.

– Ton oncle Théophile !...

– Il est mort.

– Mais non, puisque c'est moi.

– Eh ben ! c'est comme si qu'il était mort. Avez-vous compris ?

Théophile, en termes colorés et vacarmeux, lui dépeignit le peu d'estime qu'il éprouvait pour elle et sa garce de famille.

Et il s'en alla, un peu triste tout de même, dans la nuit de la campagne.

Il acheva sa soirée dans l'orgie, en société de vieux mathurins, d'anciens camarades de bord.

Et quand la police, à onze heures, ferma le cabaret, tout le monde pleurait des larmes de genièvre sur la déchéance de la navigation à voiles.

On ne parlait de rien moins que d'aller déboulonner un grand vapeur norvégien en fer qui se balançait dans l'avant-port, attendant la pleine mer pour sortir.

En somme, on ne déboulonna rien et chacun alla se coucher.

La première visite de Théophile, le lendemain matin, fut pour un notaire.

Car Théophile était riche.

Il rapportait de là-bas deux cent mille francs acquis d'une façon un peu mêlée, mais acquis.

Le bruit de cette opulence arriva vite aux oreilles des deux nièces.

– J'espère bien, mon petit oncle..., dit Irma.

– N'allez pas croire, mon cher oncle..., proclama Constance.

D'une oreille sceptique, Théophile écoutait ces touchantes déclarations.

À la fin, obsédé par les deux parties, il décida cette combinaison :

Il vivrait six mois chez Constance, à la campagne, et six mois chez Irma, à la ville.

Le dimanche, les deux familles se réuniraient dans un dîner où la cordialité ne cesserait de régner.

Or, un dimanche soir, de son air le plus indifférent, Théophile tint ce propos :

– On ne sait ni qui vit, ni qui meurt...

Les oreilles se tendirent.

– ... J'ai fait mon testament...

– Oh ! mon oncle !... protesta la clameur commune.

– Comme ça m'ennuyait de partager ma fortune en deux, je ne l'ai pas partagée.

Une mortelle angoisse déteignit sur tous les visages.

– Non... je ne l'ai pas partagée... je la laisserai tout entière à celle de mes deux nièces chez laquelle je ne mourrai pas. Ainsi, une comparaison : je claque chez Irma, c'est Constance qui a le magot, et *vice versa.*

Cette combinaison jeta les deux familles dans la plus cruelle perplexité. Devaient-ils se réjouir ou s'affliger ?

Finalement, chacun se réjouit, comptant sur sa bonne étoile et sur les bons soins dont on entourerait l'oncle aux œufs d'or.

Comme c'était l'été, Théophile logeait chez Constance, à la campagne.

Même à Capoue, les coqs en pâte se seraient crus en enfer, comparativement au bien-être excessif dont on entourait Théophile.

Et Théophile se laissait dorloter, s'amusant beaucoup sous cape.

Ce qui le délectait davantage, c'était de voir pousser son ventre.

Lui qui avait toujours blagué les *gros pleins de soupe* se sentait chatouiller de plaisir à l'idée d'avoir un bel abdomen et d'avance se promettait une grosse chaîne en or avec des breloques pour mettre dessus.

Le beau temps cessa vite cette année, et Théophile prit ses quartiers d'hiver chez Irma.

Mais la ville, ce n'est pas comme la campagne. Les tentations ! Les femmes !

Théophile était en retard pour les repas. Quelquefois même il ne rentrait pas pour dîner.

Un jour, même, il découcha.

Irma s'inquiéta et, conduite par cette admirable délicatesse dont Dieu semble avoir pourvu exclusivement les femmes, elle attacha à sa maison une bonne, une belle bonne, appétissante et pas bégueule.

L'idée était ingénieuse.

Et pourtant, elle ne réussit pas.

Car, trois mois après, Théophile épousait la belle bonne appétissante et pas bégueule.

La bonne fille

Ils habitaient tous les deux, elle et son père, une sorte de petite masure, juchée tout en haut de la falaise. L'aspect de cette demeure n'éveillait aucune idée d'opulence, mais pourtant on devinait que ceux qui habitaient là n'étaient pas les premiers venus.

Nous sûmes bientôt par les gens du pays l'histoire approximative de ces deux personnes.

Le père, un gros vieux débraillé, à longs favoris mal entretenus, ancien médecin de marine, mangeait là sa maigre retraite en compagnie de sa fille, une fille qu'il avait eue quelque part dans les parages des pays chauds, au hasard de ses amours créoles.

Il faisait un peu de clientèle, pas beaucoup, car les paysans se défiaient d'un docteur qui *restait* dans une petite maison couverte de tuiles et tout enclématitée, comme une cabane de douanier.

Pour une fille naturelle, la fille était surnaturellement jolie, belle, et même très gentille.

Aussi, au premier bain qu'elle prit, quand on la vit sortir de l'eau, la splendeur de son torse moulé dans la flanelle ruisselante ; quand, la gorge renversée, elle dénoua la forêt noire de ses cheveux mouillés qui dégringolèrent jusque très bas, ce ne fut qu'un cri parmi les plagiaires.

– Mâtin !... La belle fille !...

Quelques-uns murmurèrent seulement : *Mâtin !*

D'autres enfin ne dirent rien, mais ils n'en pincèrent pas moins pour la belle fille.

Et ce spectacle se renouvela chaque jour à l'heure du bain.

Toutes les dames trouvaient que cette jeune fille n'avait pas l'air de grand-chose de propre ; mais tous les hommes, sauf moi, en étaient tombés amoureux comme des brutes.

Un matin, mon ami Jack Footer, poète anglais, vigoureux et flegmatique, vint me trouver dans ma chambre et me dit, en ce français dont il a seul le secret :

– Cette fille, mon cher garçon, m'excite à un degré que nul verbe humain ne saurait exprimer... J'ai conçu l'ardent désir de la posséder à brève échéance... Que m'avisez-vous d'agir ?

– Ne vous gênez donc pas !

– C'est bien ce que je pensais. Merci.

Et, le lendemain, je rencontrai Footer, radieux.

– Puis-je faire fond sur votre discrétion ? dit-il.

– Auprès de moi, feu Sépulchre était un intarissable babillard.

– Eh bien ! Carmen, car c'est Carmen qui est son nom chrétien, Carmen s'est abandonnée à mes plus formelles caresses.

– Ah !... Comme ça ?

– Oui, mon cher garçon, comme ça ! Elle n'a mis qu'une condition. Drôle de fille ! Au moment suprême, elle m'a demandé : « Êtes-vous pour encore longtemps sur ce littoral ? – Jusque fin octobre, ai-je répondu. – Eh bien ! promettez-moi, si vous tombez malade ici, de vous faire soigner par mon père ; c'est un très bon médecin. » J'ai promis ce qu'elle a voulu. Drôle de fille !

La semaine suivante, je me trouvais à la buvette de la plage quand advint Footer.

– Un verre de pale ale, Footer ?

– Merci, pas de pale ale... Ce tavernier du diable aura changé de fournisseur, car son pale ale de maintenant ressemble à l'urine de phacochère plutôt qu'à une honnête cervoise quelconque.

En disant ces mots, Footer avait rougi imperceptiblement.

Je pensai : « Toi, mon vieux !... » mais je gardai ma réflexion pour moi.

– Et Carmen ? fis-je tout bas.

– Carmen est une jolie fille qui aime beaucoup son père.

Quelques amis, des peintres, entrèrent à ce moment et je n'insistai pas, mais fatalement la conversation tomba sur la damnante Carmen.

Footer en parla avec un enthousiasme débordant, et, comme un jeune homme évoquait à cette occasion le souvenir de *La Femme de feu* de Belot, Footer l'interrompit brutalement.

– Taisez-vous, avec votre Belot, *La Femme de feu* de ce littérateur n'est, auprès de Carmen, qu'un pâle *iceberg*.

À ce mot, le jeune homme eut des yeux terriblement luisants.

C'était l'heure du déjeuner. Nous sortîmes tous, laissant Footer et le jeune homme.

Que se dirent-ils ? Je ne veux pas le savoir, mais, le lendemain, je rencontrai le jeune homme radieux.

– Ah ! ah ! mon gaillard, je sais d'où vous vient cet air guilleret.

Avec une louable discrétion, il se défendit d'abord, mais avoua bientôt.

– Quelle drôle de fille ! ajouta-t-il. Elle n'a mis qu'une condition, c'est que si je tombe malade ici, je m'adresserai à son père pour me soigner. Drôle de fille !

Il faut croire que cette petite scène s'est renouvelée à de fréquents intervalles, car le docteur, que j'ai rencontré ce matin, est vêtu d'une redingote insolemment neuve et d'un chapeau luisant jusqu'à l'aveuglement.

– Eh ! bien, docteur, les affaires ?

– Je n'ai pas à me plaindre, je n'ai pas à me plaindre. J'ai eu depuis quelque temps une véritable avalanche de clients, des jeunes, des mûrs, des vieux... Ah ! si je n'étais tenu par la discrétion professionnelle, j'en aurais de belles à vous conter !

Fils de veuve

Au 256 de la rue Rougemont, dans un appartement du second au-dessus de l'entresol (trois mille cinq, les contributions en plus), vivait une famille qu'on appelait la famille Martin.

Cette famille se composait de trois personnes : un père, une mère et un fils.

Le père, au moment où commence cette histoire, venait de se retirer des affaires.

Fondateur et directeur de la *Société d'assurances générales contre le notariat*, il avait fait une immense fortune dans cette entreprise.

Homme tranquille, sauvage même, et en cela tout le contraire de sa femme et de son fils, il détestait cordialement les réunions mondaines, les bals, les théâtres.

Sa femme et son fils, oublieux de tout respect, le traitaient d'ours.

Mme Martin comptait plus de trente printemps, mais la quarantaine n'était pas encore près de sonner pour elle.

Jolie, élégante et frivole, elle semblait à tous la fille de son mari et la sœur aînée de son fils.

Ce dernier, gentil garçon de dix-huit ans, abominablement gâté par sa maman, mauvais sujet, empruntait déjà des sommes relativement considérables aux amis de son père, aux fournisseurs et même, une fois, au concierge.

Le cœur d'une mère contient des tombereaux d'indulgence, Mme Martin payait tout, à l'insu de son mari,

Un jour, le jeune Martin commit une frasque si scandaleuse qu'on ne put la cacher au père.

Le père enfourcha ses grands coursiers, fulmina et décida que Gaston s'engagerait immédiatement pour cinq ans.

Les yeux d'une mère sont d'éternels et spacieux réservoirs à larmes. Mme Martin en versa des torrents.

Mais en vain : M. Martin fut de granit.

La seule concession qu'il fit à la mère éplorée, fut de la laisser accompagner l'enfant jusqu'à la porte de la caserne.

Au moment de la séparation, le sergent de planton, touché de ses sanglots, conseilla à Mme Martin d'aller recommander elle-même son fils au capitaine et au colonel.

L'infortunée commença par le capitaine, un jeune capitaine de trente ans, un lapin d'attaque.

Elle y resta un quart d'heure et sortit un peu consolée.

Puis ce fut le tour du colonel.

C'était le cas, le colonel frisait la soixantaine au petit fer.

La visite de Mme Martin dura pas bien loin de trois quarts d'heure.

Mais elle en sortit tout à fait consolée.

Pas pour longtemps, car les premières lettres de Gaston furent navrantes.

On lui avait mangé tout son chocolat.

Et puis c'était un affligeant tableau de la vie militaire : mauvais lit, sale nourriture, méchants camarades, corvées pénibles, rudes exercices, brimades, passages à la couverte, etc.

Le seul moment qu'il eût de bon dans la semaine était quand, le dimanche après-midi, la musique du régiment jouait *Pot de fleurs*, la prestigieuse polka-marche de Willy (H.G.V.S.L.D.R.).

Mme Martin, un beau jour, n'y put tenir.

Elle prit le train et arriva chez le colonel.

Le colonel n'avait pas vieilli, mais il n'avait pas rajeuni non plus.

Au bout de trois quarts d'heure de supplice, il se laissa enfin toucher et, contre tous les règlements, accorda au soldat de 2e classe Martin une permission de huit jours.

Le lendemain soir, un dîner familial réunissait les trois membres de la famille Martin.

Le père était moins inexorable, à cette heure.

Mais il était bien temps !...

Avant de se coucher, selon sa coutume immémoriale, M, Martin s'accouda sur le balcon et alluma sa pipe, sa bonne pipe.

La mère et le fils devisaient dans le petit salon.

– Alors, disait la mère, tu dis qu'il n'y a aucun moyen de sortir de cet affreux régiment.

– Aucun, maman, à moins de me faire réformer ou de devenir fils de veuve...

– Fils de veuve, dis-tu ?

– Oui, maman, fils de veuve.

La mère réfléchit un instant, puis brusquement :

– Est-ce que tu tiens beaucoup à ton père ?

– Pas du tout, maman, et toi ?

– Oh ! moi !...

Et elle esquissa un geste parfaitement dédaigneux pour l'époux. Puis elle reprit :

– Tiens, regarde-moi.

À ce moment, M. Martin se trouvait penché très en avant.

Son centre de gravité n'était pas en dehors du balcon, mais il n'en était pas loin.

Il était évident que le plus petit déplacement de la masse dans le sens de la rue devait avoir pour résultat la culbute d'abord, puis la chute.

Mme Martin s'approcha à pas de louve, empoigna le bas du pantalon de son mari, et pouf ! l'envoya rejoindre par la voie la plus directe l'objet qu'il considérait si attentivement sur le trottoir.

Ce mouvement fut exécuté avec une précision et une vigueur qu'on n'aurait pas attendues chez une femme d'apparence si mondaine.

Quand M. Martin, sa chute accomplie, rencontra l'asphalte, ça fit *plmmf*, le bruit mat et sourd de la viande qui s'aplatit, et presque en même temps un autre bruit, *teck*, le son de la pipe d'écume qui se brise.

M. Martin avait cassé sa pipe.

Une jeune femme qui passait par là, sortant du théâtre, se trouva tout éclaboussée de mouchetures grises.

Comme elle se disposait à essuyer sa robe avec son mouchoir, un passant obligeant lui dit :

– C'est de la cervelle, madame, ça ne tache pas. Laissez-la sécher et demain avec un bon coup de brosse, il n'y paraîtra plus.

Le passant se trompait en cela : la cervelle humaine contient de la graisse (phosphorée) et tache les étoffes comme n'importe quel corps gras.

Cependant Mme Martin et son fils dégringolaient les escaliers.

– Mon mari, mon pauvre mari ! sanglotait la femme.

– Papa, mon pauvre papa ! hurlait le fils.

Et la foule se découvrit émue, respectueuse devant cette immense et double douleur.

Un médecin gros et poussif accourait.

Il constata le décès et prit les nom et adresse pour toucher son petit dérangement le lendemain.

Ce furent de belles obsèques que les obsèques de M. Martin.

En tenue, un crêpe au bras, secoué par des sanglots convulsifs, le jeune Martin conduisait le deuil.

– Pauvre garçon, disait la foule.

Il y eut une petite enquête judiciaire qui attribua le décès de M. Martin à une chute déterminée par une attaque d'apoplexie.

Le fils de veuve rentra dans la vie civile, au grand désespoir du colonel qui se sentait un fort penchant pour Mme Martin.

Malgré ma vive sympathie pour cette veuve et cet orphelin, je ne vous cacherai pas que la phase du grand deuil fut un peu écourtée.

Plus tôt qu'on aurait pu décemment s'y attendre, on les vit reparaître dans le monde.

Il y a des gens qui valseraient sur le Styx.

Mais le plus comique de toute cette histoire, le voici :

Mme Martin, avec l'assentiment de son fils, va se remarier.

Ils n'ont pas songé, ces deux frivoles, que Gaston, de par le mariage de sa mère, ne sera plus fils de veuve et qu'on le rappellera au corps.

Moi, comme vous pensez, je me garde bien de leur communiquer ce détail.

Et je m'amuse beaucoup à l'avance, de la tête du pauvre Gaston.

La forêt enchantée

À George Auriol.

– Une nuit superbe, s'écria Wilfrid, qui revenait du jardin. Si on s'en retournait à pied ?

Il pouvait être neuf heures. On avait dîné copieusement. dans une ferme située en pleine forêt, à une dizaine de kilomètres de la ville.

– À pied ? fis-je, avec la moue de l'enthousiasme relatif.

– Mais oui, à pied, parbleu ! Si tu es fatigué, je te porterai.

L'idée de cette promenade nocturne et forestière semblait sourire si fort à mon ami Wilfrid que j'acceptai.

Notre hôte s'abîma dans les explications les plus méticuleuses sur le plus court chemin (qui, en forêt, n'est jamais la ligne droite).

Je prêtais de ferventes oreilles au débrouillage de cet écheveau, mais Wilfrid, grand fou, disait :

« Oui, oui, entendu, à gauche et puis à droite... Oui, oui, nous nous retrouverons bien. »

Nous nous retrouvâmes si bien, qu'au bout d'une heure nous ne savions plus ni l'un ni l'autre où nous nous trouvions.

Pour comble de malheur, de gros nuages survenaient, monstrueux troupeaux, comme pour masquer à dessein Phœbé la chlorotique.

Commencèrent les mutuelles invectives :

– Tu vois, fis-je, si nous étions revenus en voiture, nous serions chez nous, à l'heure qu'il est, au lieu de nous trouver comme des petits Poucets, perdus dans les grands bois.

– Quand on est cul-de-jatte, répliqua acrimonieusement Wilfrid, on reste chez soi.

– Et quand on n'a pas plus que toi le sens de l'orientation, on emporte des poteaux indicateurs...

– Pour te les f... sur la gueule, si tu dis un mot de plus.

(Wilfrid ne donnerait pas une chiquenaude à une mouche cantharide, mais il affectionne ces violences de langage.)

Pendant ce temps, nous cheminions par un sentier poétique en diable, mais où l'humain le plus désespéré n'aurait pu se pendre à nul réverbère.

Tout à coup, Wilfrid s'écria :

« Là-bas... de la lumière ! »

C'était vrai. Au bout du chemin, une grande clarté confuse filtrait à travers les branches.

Nous hâtâmes le pas.

À mesure que nous avancions, une inquiétude me prenait. Où allions-nous arriver ?

De hautes maisons blanches se dressaient avec des balcons, d'immenses enseignes dorées. Une pharmacie étincelait, éblouissante de bocaux polychromes, une immense terrasse de café parisien étalait ses mille tables et chaises.

Et puis une station de fiacres, des colonnes Morris, des kiosques de journaux, des réverbères innombrables. Paris, quoi !

Je priai Wilfrid de me pincer, à seule fin de me réveiller.

Wilfrid m'invita à lui fournir quelques grains d'ellébore pour dissiper son hallucination.

Vous imaginez-vous cette situation ? En pleine forêt, à cinquante lieues de Paris, la nuit, tomber sur un morceau de boulevard Montmartre !

Et nous étions bien éveillés, fous ni l'un ni l'autre.

Nous arrivons ; nos pieds foulent l'asphalte du trottoir.

Personne dans la rue, personne dans les boutiques, personne aux fenêtres.

Seuls, quatre vieux messieurs fument des pipes à la terrasse du café, buvant des bocks.

Sans percevoir exactement quel danger nous menace, Wilfrid et moi sommes vaguement inquiets.

Nous nous asseyons à une table du café et commandons à boire. Un garçon, très correct, nous sert de l'air le plus naturel du monde.

Un des consommateurs semble à ce moment prendre pitié de notre ahurissement.

– Ces messieurs, dit-il, ont l'air surpris de se trouver en plein Paris à cette heure-ci ?

Nous avouâmes notre surprise.

– C'est toute une histoire, reprit le brave homme. Je vais vous la raconter. Je suis né à Paris dans une maison du boulevard, j'ai été apprenti coiffeur dans une maison du boulevard, garçon coiffeur dans une maison du boulevard, patron au boulevard. Je n'ai jamais quitté le boulevard, j'y ai fait ma fortune. Vivre sans le boulevard, sans les kiosques, ni les réverbères, les magasins, les stations de fiacres est impossible pour moi... L'année dernière, je suis tombé gravement malade et mon médecin m'a ordonné l'air de la forêt. Ce que je me suis ennuyé, dans cette forêt, loin de mon boulevard. Alors j'ai pris le parti de me construire un petit bout de boulevard avec ses accessoires, dans un morceau de forêt que j'ai acheté... Ces messieurs que vous apercevez, qui ont des têtes de généraux, d'avocats, de grands commerçants, sont de simples bûcherons à qui je taille les cheveux et la barbe, pour me donner l'illusion de la société parisienne. Vous allez peut-être vous moquer de moi, mais ça suffit à ma félicité.

Nous ne nous moquâmes pas de lui, bien au contraire ; car un homme qui sait se rendre heureux avec une simple illusion est infiniment plus malin que celui qui se désespère avec la réalité.

Le mariage de Gédéon

Ce soir-là, Gédéon, rentrant à son hôtel, fut surpris de ne pas trouver la clef de sa chambre à son clou habituel, le 21, je crois.

Une réflexion lui vint : le garçon l'avait sans doute oubliée sur la porte.

– Madame Trouilloux, fit-il doucement, comment cela se fait-il que ma clef ne soit pas au clou ?

Mme Trouilloux, la gérante de l'hôtel, était, à ce moment, plongée, que dis-je, submergée dans la lecture passionnante d'un roman de Boisgobey (gobé par elle, surtout).

Elle voulut bien lever la tête, et murmura, comme sortant d'un long rêve :

– Votre clef ?... Votre clef, monsieur Gédéon ? Ah, oui, votre clef... Eh bien ! c'est une petite dame qui est venue tout à l'heure et qui est montée chez vous. Elle m'a dit que c'était entendu.

À ces mots, un vif incarnat empourpra la surface totale épidermique de Gédéon. Même son cuir chevelu se rosit, comme dit Goncourt.

– Une femme, répétait-il, une femme... Mais je n'attends aucune femme.

– C'est elle qui vous attend, au contraire, répliqua Mme Trouilloux avec infiniment d'à-propos.

– Que faire ? Mon Dieu, que faire ?

– Mais montez donc, espèce de grand serin (Mme Trouilloux est assez familière avec la jeunesse des Écoles). Montez donc, elle est très gentille, cette petite.

Les suppositions roulaient dans la tête de Gédéon comme les galets sur la plage, à l'équinoxe.

Une femme ? Quelle femme ?

Résolution virile, il monta.

Toc, toc, toc.

UNE PETITE VOIX DANS L'INTÉRIEUR. – Qui est là ?

GÉDÉON. – Moi.

LA PETITE VOIX. – Qui, vous ?

GÉDÉON. – Gédéon.

LA PETITE VOIX. – Ah, c'est pas trop tôt.

La porte s'ouvrit.

À la lueur de la bougie, Gédéon aperçut un sein furtif, des épaules roses qui s'enfouissaient dans les draps avec une évidente exagération de pudeur.

Toujours viril, Gédéon s'avança, considéra la jeune personne.

Il ne l'avait jamais vue.

La jeune fille poussa un cri.

Gédéon lui apparaissait pour la première fois.

Hein, petites lectrices, si je vous lâchais là, en pleine intrigue, en plein mystère. Si j'écrivais au bas de ces lignes : (La suite au prochain numéro), quelle semaine d'angoisses je vous ferais passer...

Je ne ferai pas ça, étant trop bon. Écoutez donc la suite, mes âmes.

Ou plutôt, le commencement :

Gédéon est un très gentil garçon, pas vilain du tout et pas bête.

Mais une timidité incoercible en fait l'être le plus misérable du monde.

Il avait commencé ses études de droit. Il dut les abandonner, la seule vue d'un examinateur le jetant en d'inexprimables terreurs.

À la première question, Gédéon devenait corail ; à la seconde, ivoire, le tout accompagné d'un silence sépulcral. Le professeur n'insistait pas, et il avait tort. Car, à la troisième question, son candidat serait passé à de bien curieux tons d'aigue-marine pâle.

Au bout de quelques examens, cette auto-polychromie dégoûta Gédéon, qui sollicita et obtint une place dans un ministère que je ne désignerai pas plus clairement.

Gédéon adorait les femmes, mais il en avait l'effroi, un tel effroi, que nous le soupçonnions d'être encore... Comment dirais-je ?... d'être encore niais.

D'un commun accord, nous décidâmes, entre camarades, que cette niaiserie était une insulte à notre dévergondage relatif, et nous résolûmes de faire épousseter un peu le duvet de pêche de Gédéon.

Régulièrement, tous les jeudis, Gédéon dînait chez son oncle du boulevard Magenta. Il rentrait vers onze heures. Le plan d'attaque fut vite tracé.

Un de nous *lèverait* une femme à Bullier, sous le nom de Gédéon, l'amènerait coucher chez ledit et disparaîtrait un peu avant son arrivée, abandonnant la bonne femme aux circonstances.

Le jeudi convenu, nous nous rencontrâmes en une petite brasserie, disparue depuis, le Zizi-Panpan.

Inutile de dire que le service de la beuverie y était accompli par des dames. (Ô ma jeunesse...)

Charlotte nous présenta sans plus tarder une de ses amies, débarquée le matin même du pays, avec les plus détestables intentions.

Son village, du reste, était réputé à cette époque pour fournir au Quartier latin les plus jolies serveuses de bocks et les plus aimables.

Ça tombait bien.

Un ami, venu exprès de *l'autre côté de l'eau*, fit la cour, une cour expresse, à la néophyte.

L'ami était joli garçon, entreprenant et pas à son début.

La néophyte, une belle fille, ma foi, se dit : Tant qu'à pécher, autant pécher tout de suite... avec celui-ci autant qu'avec un autre.

Et cela fut convenu.

L'ami de *l'autre côté de l'eau* conduisit sa conquête jusqu'à la porte de l'hôtel de Gédéon :

– Tu prendras ma clef, le 27, tu te coucheras, et je serai à toi dans une demi-heure... As-tu des allumettes ?... Tiens, voilà une boîte... À tout à l'heure.

Et voilà comme ce soir-là, Gédéon, n'ayant pas trouvé sa clef à son clou, trouva une belle fille dans son lit. (Dédommagement.)

À partir de ce jour, aucun de nous ne revit Gédéon, ni l'amie de Charlotte.

On se dit : Gédéon s'est fâché de la farce et il boude.

Quant à la villageoise, elle doit être loin, si elle court encore.

Longtemps, longtemps après, je rencontrai Gédéon.

Les effusions échangées :

– Il faudra venir nous voir un de ces jours, dit-il.

– *Vous* voir ?

– Mais oui, tu ne sais pas, je suis marié. Je vais te conter ça. Un soir, un camarade m'a fait une farce. J'ai trouvé une femme dans mon lit. Ma foi, elle était très gentille, je l'ai épousée.

– Et tu es heureux ?

– Ah, mon vieux...

Huit jours après

I

– Tiens, cet excellent Schozanler ! Comment vas-tu, mon vieux rameau ?

– Mieux que je ne saurais dire, et heureux, mon pauvre ami, heureux !

– Quand tu ne te serviras plus de ton bonheur, tu ne le jetteras pas, hein ! Pense à moi !

– Si tu la connaissais !...

– Ah ! il s'agit d'une créature ?

– Je t'en supplie, mon ami, n'emploie pas ce mot pour elle.

– Diable, tu m'inquiètes !

– Je la connais d'hier seulement.

– Et dans quel marché aux volailles as-tu déniché cette perle ? Au Jardin de Paris ?

– (*Sévèrement.*) Tu me ferais plaisir, mon cher, quand tu parleras de cette personne, de te servir d'un autre ton.

– C'est bon, c'est bon, on respectera ta princesse.

– Quand je l'ai connue, mon cher, elle était pure comme l'ange de la création.

– Chouette !... mais es-tu bien sûr, au moins ?

– Jeanne d'Arc, à côté d'elle, n'était qu'une infâme gourgandine !

– Tu te mets bien, toi, pour ce qui est de tes jeunes amies... Nous prenons quelque chose ?

– Si tu veux.

– Garçon !... Que bois-tu, toi ?

– Une menthe verte.

– Ah ! ah ! Et moi un bock. Garçon !... un bock et une menthe verte !

(*Après avoir bu, je quitte mon ami en lui serrant la main avec une nuance d'envie.*)

II

La semaine suivante :

– Tiens, cet excellent Schozanler ! Comment vas-tu, mon vieux rameau ?

– Je te remercie, mon ami, pas très bien.

– Quoi donc ?

– Eh bien, rien. Ça ne va pas, voilà tout.

– Et ton ange radieux ?

– Ah ! Je t'en supplie, hein !... Ne me parle jamais de ce veau-là !

– Mais Jeanne d'Arc qui...

– Ne mêle pas à cette sale aventure la noble figure de Jeanne d'Arc, une des plus pures de notre histoire.

– Le fait est que tu as une fichue mine.

– Oh ! ce ne sera rien... Nous prenons quelque chose ?

– Volontiers.

– Garçon !... Que bois-tu, toi ?

– Un bock.

– Et moi une gomme chaude. Garçon ! un bock et une gomme chaude !

(*Après avoir bu, je quitte mon ami en lui serrant la main sans une nuance d'envie.*)

L'accent anglais

Monologue pour dire à la petite fête annuelle du syndicat des gens patients

Mesdames et Messieurs,

Voulez-vous me permettre, avant de commencer, de réclamer votre indulgence, toute votre indulgence. J'en aurai besoin car, tel que vous me voyez, je suis loin d'être un artiste professionnel.

Amateur, simple amateur, voilà ce que je suis.

Le seul mérite que je possède, si je possède un mérite, c'est de présenter un numéro parfaitement inédit et dame ! par les temps d'initiation servile où nous croupissons, un numéro inédit, ça ne court pas les rues, hein !

Un numéro inédit ! Avouez que vous êtes intrigués. Vous vous dites : Qu'est-ce que ce monsieur peut bien faire qu'on n'ait pas fait avant lui ?

Vous cherchez, vous vous livrez à mille suppositions plus fantaisistes les unes que les autres.

Eh bien, vous n'y êtes pas et, si subtils, si astucieux que vous puissiez être tous, mesdames et messieurs, vous ne pouvez deviner la nature du curieux exercice auquel je vais me livrer tout à l'heure devant vous.

Je ne suis ni musicien, ni prestidigitateur, ni acrobate. Je ne dis même pas de monologue (je ne sais si vous êtes comme moi, j'ai l'horreur du monologue).

Poète ? Non, je ne suis pas poète. Je ne suis rien de tout cela, non, je... (*Il s'approche du public et donne une importance énorme à sa déclaration.*)

J'imite l'accent anglais. (*Il semble fort étonné de l'accueil que les spectateurs font à cette petite annonce.*)

J'aperçois sur les lèvres d'ailleurs ravissantes de quelques spectatrices errer la moquerie des sourires.

Sur le mâle visage de plusieurs de ces messieurs, il se peint un désappointement évident.

Ces moqueries, mesdames, ces désappointements, messieurs, je les comprends, parce que j'en devine la cause.

Vous vous dites : Voilà un monsieur qui a la prétention de nous apporter du nouveau et il va tout simplement imiter l'accent anglais ! Il est joli, son nouveau ! Il est frais, son inédit ! (*Imitant dérisoirement l'occent anglais.*) Plum pudding ! *All right !* Ma pantalon ! Mon chemise ! Mon femme ! *Aoh yes ! Very well.*

(*Reprenant son accent naturel.*) Rassurez-vous, mesdames et messieurs : Non, ce n'est pas cet ignoble Anglais de bas vaudeville que je vais avoir l'honneur d'imiter devant vous. L'Anglais que je vais avoir l'honneur, je le répète, d'imiter devant vous, est au contraire un Anglais chic, bien élevé et de haute culture intellectuelle, un des ces Anglais comme il en existe beaucoup plus qu'on ne pense, très au courant de notre langue et de notre littérature.

D'abord, mon Anglais est né en France...

Pourquoi souriez-vous ? Qu'y a-t-il d'étonnant à ce qu'un Anglais soit né en France ?

Il ne se passe pas de jour, pas de nuit, sans qu'un baby anglais ne vienne au monde en France.

De même qu'un mioche français peut parfaitement naître à Londres, ou à Liverpool.

Donc, mon Anglais, j'insiste sur ce détail qui a son importance, est né en France et – je vais plus loin – il est né d'une mère française...

J'aperçois encore des sourires que je ne m'explique point... et je continue.

Pour bien marquer la différence qui sépare mon Anglais du vulgaire plum-pudding de café-concert, j'irai même plus loin.

Non seulement, ce gentleman est né en France d'une mère française, mais encore, son père aussi est français.

Voilà donc, je crois, une situation nettement posée : nous avons affaire à un Anglais, né en France de parents français.

Comme, après la naissance du baby, ses parents ne sont pas

retournés en Angleterre où, d'ailleurs, ils n'avaient jamais fichu les pieds, notre jeune insulaire (si, en de telles circonstances, on peut lui conférer ce qualificatif) a été élevé en France et à la française.

Au lycée Condorcet, où il a accompli toute son instruction, ayant à choisir pour l'étude des langues étrangères entre l'allemand et l'anglais, il a choisi l'allemand, de sorte qu'il ne sait pas un mot d'anglais.

À ce moment, une véritable grêle de pommes cuites obscurcit le firmament.

Le sympathique diseur croit devoir se retirer sans insister autrement.

Lady & gentleman

ou

Qui diable ça pouvait-il bien être que ces gens-là ?

Le docteur constata de la meilleure grâce du monde que nul, à bord, ne semblait atteint du terrible fléau asiatique et nous ne tardâmes pas à connaître les joies de l'accostage.

Une grande partie de la population houlbecquoise était en proie à la plus verte des frousses. Le chlore, le phénol, le sulfate de fer coulaient à flot, embaumant les rues de leurs rassurantes puanteurs.

Coupées les communications avec les villes voisines ! C'était le règne du trac dans toute sa splendeur !

Un négociant d'Houlbec, appelé au téléphone, et s'apercevant qu'il se trouvait en communication avec le bureau du Havre, avait pâli subitement et perdu connaissance.

Un autre recevant un télégramme de Hambourg n'avait consenti à le décacheter qu'après l'avoir bouilli cinq bonnes minutes. Or, on sait que la dépêche télégraphique préfère être lue saignante.

Le jour du marché, tous les fruits et légumes, apportés par les campagnards, durent passer à l'étuve municipale (120°C). Le beurre frais, de ce chef, fut livré en bouteille.

Sous le prétexte prophylactique, les pharmaciens écoulaient leurs fonds de boutiques, jusqu'à de vieux bandages du temps de Louis-Philippe.

On avait pour dix sous

Un joli cantaloup.

La frayeur s'évaluait en raison de l'étiage social des sujets.

Ainsi, les personnes de la haute société arboraient sur leur face les pires lividités, cependant que les lascars de sur les quais semblaient s'en tenir à leur carnation coutumière.

Et, parmi ces lascars...

(C'est précisément là où je voulais en venir.)

Et parmi ces lascars, un monsieur et une dame.

Qui diable ça pouvait-il bien être que ces gens-là ?

Le monsieur : un grand gaillard bien découplé, la face entièrement rasée, vêtu d'un *suit* en flanelle très chic, souliers de toile, casquette de yachtman cossu.

La dame : à peine gentille, mais drôle comme tout, sûrement bonne fille, trop sans façon peut-être, habillée de gros bleu avec des ancres rouges, bottines jaunes, chapeau canotier crânement campé sur les cheveux courts.

Ce monsieur et cette dame s'étaient mêlés à la tourbe des voyous du port, pas pour les épater, mais pour causer et fraterniser, sans gêne aucune, en camarades.

M'étant approché (avec un air de rien), je constatai qu'un des lascars mal vêtus tutoyait la jeune dame, mais cela d'un ton si naturel !

Que diable ça pouvait-il bien être que ces gens-là ?

Les suppositions marchaient leur train.

De sacrés originaux, dans tous les cas, ces deux bougres-là !

Car, il n'y avait pas à dire, c'étaient, à coup sûr, des gens très chic, tout ce qu'il y a de plus chic.

Un simple coup d'œil sur leur habillement, composé de tissus simples, riches et bien coupés, le disait.

Notre stupeur s'accrut encore au spectacle de leur déjeuner.

Assis à une table chez un mastroquet populacier, ce monsieur et la dame mangeaient, de grand appétit, des moules crues (apportées dans un mouchoir) et de la charcuterie, le tout arrosé d'un litre de cidre.

Nous les revîmes le soir.

Le gentleman était saoul comme une vache, si j'ose m'exprimer ainsi.

Quant à la milady, ma seule galanterie m'empêche de stigmatiser l'indécence de sa tenue.

Tous les deux, bras dessus bras dessous, décrivant des arabesques inharmoniques et proférant des discours d'où la veulerie n'avait pas banni l'incohérence.

Qui diable ça pouvait-il bien être que ces gens-là ?

Nous l'apprîmes le lendemain, et longtemps je regrettai d'avoir levé voile. (Pourquoi, dites, abolir les inquiétudes qu'on a ?)

Cette histoire est tellement simple à conter maintenant, que je me demande si je ne sortirai pas diminué d'un tel dénouement.

Le monsieur très bien et la petite bonne femme chic n'étaient pas, lui, un monsieur très bien, elle, une petite bonne femme chic.

Ils étaient, lui, un vague lascar du port, elle, une vague roulure, vivant, tous deux, en concubinage.

La semaine d'avant, on les avait ramassés sur le quai (le choléra !) et conduits à l'hôpital.

Là, on s'était aperçu qu'au lieu du terrible fléau asiatique, on avait affaire à l'emploi abusif du genièvre de bas aloi.

Les renvoyer ? Vous en parlez bien à votre aise, vous ? Et leurs pauvres frusques qu'on avait incinérées sur la grève !

En entendant parler de cette triste situation, à l'hôtel, un monsieur et une dame (des vrais, ceux-là) :

– Pauvres gens ! dit la jeune femme.

– Pauvres gens ! dit le jeune homme.

Un quart d'heure après, un ballot d'effets arrivait à l'hôpital, des effets qui, justement, allaient comme un gant aux faux cholériques.

Le soir même, le monsieur et la dame (les vrais) prenaient le train de Paris, enchantés de leur bonne action.

Tant il est vrai qu'il n'y a pas de vraie jouissance, en dehors de la pratique de la vertu.

Conte à Miné

La joie légitime du nautonier à l'approche du port, nous la ressentîmes quand nous découvrîmes – enfin – le phare d'Houlbec.

Mais brève, ô combien, la joie ressentie !

La *Ponche-d'amour* s'engageait à peine dans les jetées, qu'une pirogue cinglait vers nous, prompte comme la pensée, et battant, à l'arrière, pavillon jaune.

À l'avant, un brigadier des douanes, debout, la main droite levée, paume ouverte, en signe de *stop*, les deux autres en porte-voix autour de l'orifice buccal.

Et le gabelou clama :

– Avez-vous une patente de santé ?

– Hein ? sursauta notre jeune capitaine Jehan des Éteules.

– Une patente de santé ?

– Pourquoi f..., une patente de santé ?

– Rapport au choléra.

– Mais nous n'avons pas le choléra à bord, bougre d'andouille !

– Il n'y a pas d'andouille là-dedans, riposta le brigadier à peine vexé ; tout bateau, avant d'entrer à Houlbec, doit faire une quarantaine de vingt-quatre heures et subir la visite de la *santé*.

– Ah ! c'est gai... Et à Honfleur, sont-ils aussi bêtes que vous ?

– Aussi bêtes, capitaine.

– Et à Trouville ?

– À Trouville ?

Un grand rire muet secouait la tunique du douanier.

– À Trouville ? reprit-il, le maire fait désinfecter les mouettes qui se posent sur la grève.

Voyant qu'on avait affaire à un brave bougre de gabelou, nous essayâmes de parlementer.

– Voyons, mon vieux, nous arrivons tout droit de l'île de Wight, et vous savez bien qu'il n'y a pas de choléra à l'île de Wight...

– Vous arriveriez du tonnerre de Dieu que ce serait le même prix ! C'est le maire d'Houlbec qui a décidé hier que tous les bateaux étaient *contaminés*, et il n'y a rien à faire contre le maire d'Houlbec. Mouillez au large. Demain matin, le médecin ira vous voir, et vous rentrerez à la marée.

Le jeune capitaine Jehan des Éteules ne chercha pas à cacher sa mauvaise humeur.

– Allez dire de ma part au maire d'Houlbec que c'est un... !

Le reste de la phrase fut emporté par la rafale.

La pauvre *Ponche-d'amour* vira de bord et nous allâmes à un mille du port, un peu à l'ouest, mouiller une ancre mélancolique.

Nous avions bien pensé à nous diriger vers Le Havre ou Dieppe, mais ces deux ports nous sont, pour le moment, fermés. (Histoires de femmes ? direz-vous. Peut-être bien.)

Notre seule distraction, à cet instant morose, fut de faire jouer notre pavillonnerie pour demander des vivres.

Eh bien ! ça n'est pas si commode que ça, surtout quand on veut se procurer des choses un peu rares, et qu'on n'a pas une grande habitude.

Par exemple, on peut demander le *Gil Blas* du jour et se voir apporter une livre de chandelles.

Mais, à la mer comme à la mer !

Une chaloupe vint enfin, nous apportant des viandes succulentes, des légumes fraîches *(sic)*, des tabacs rares, des gazettes parisiennes et de l'eau minérale alcaline gazeuse de *(case à louer)*.

Un temps superbe ! Moi, je me fichais un peu de ce *farniente* de vingt-quatre heures (j'en ai vu bien d'autres).

Mais Jehan des Éteules, lui, ne dérageait pas, et quand je lui remarquai finement : *Colère Ah !* il me traita de brute épaisse.

Heureusement, une distraction nous advint, dans l'après-midi.

Un canot se dirigeait vers nous, portant une dame en toilette claire et un grand garçon bien vêtu qui maniait l'aviron comme père et mère.

Le canot manœuvrait dans le but évident de nous accoster.

Nous constatâmes bientôt que le jeune homme bien vêtu semblait un véritable gentleman et que la dame était souhaitable entre toutes.

– Y aurait-il indiscrétion, demanda le véritable gentleman, d'aborder chez vous, madame et moi, pour quelques instants ?

– Notre bord est le vôtre, répondit Jehan des Éteules, visiblement allumé.

La *Ponche-d'amour* s'inclina légèrement en signe de bon accueil et prêta, de la meilleure grâce du monde, son tribord à l'ascension de ses deux nouveaux hôtes.

Le gentleman paraissait un peu gêné pour entamer la conversation, mais on sentait en lui le gentleman qui a son idée.

Il saisit l'occasion où Jehan occupait galamment sa compagne pour me dire tout bas et très vite :

– Vous avez l'air très gentils, votre ami et vous. Je vais vous demander un sacré service... Mais surtout, n'ayez l'air de rien auprès de madame.

– Ai-je donc l'air de quelque chose ? fis-je un peu froissé.

– Non, mais c'est tellement délicat.

– Raison de plus.

– Voici l'affaire : je suis amoureux comme une bête de cette petite femme que j'ai amenée et qui est l'amie d'un vieux monsieur, lequel se trouve à Houlbec. La petite ne demande pas mieux,..

– Eh bien, alors ?

– Oui, mais le vieux est toujours là. C'est à peine s'il lui permet un petit tour en bateau avec moi, à la portée de ses regards jaloux... J'ai appris hier l'arrêté du maire d'Houlbec, relatif à la quarantaine des bateaux. Saisissez-vous ?

– Pas encore.

– C'est pourtant bien simple. Maintenant que nous avons touché votre bord, nous sommes *contaminés*, ou tout au moins considérés comme tels. Tout à l'heure, quand je vais faire semblant de rentrer dans le port, un impitoyable gabelou va m'en barrer la route. Alors, nous reviendrons, madame et moi, faire notre petite quarantaine à votre bord, jusqu'à demain.

– Vous appelez ça une *quarantaine*, vous ?

– Ne m'en veuillez pas trop de mon indiscrétion.

– Et vous prenez la *Ponche-d'amour* pour un bateau de fleurs ?

– Soyez certain, monsieur...

– Et si le bonhomme de la dame vient déranger cette combinaison ?

– Oh ! Rien à craindre de ce côté-là, il a trop peur de l'eau.

Les choses se passèrent comme l'avait prévu l'ardent jeune homme : fausse rentrée au port, pavillon jaune de la santé, et réintégration à bord de la *Ponche*.

On dîna gaiement ce soir-là, mais la nuit fut mauvaise pour le galant capitaine Jehan des Éteules.

Il vint au tout petit jour me réveiller, dans ma cabine.

– Tu ne sais pas ? dit-il, j'ai envie de... le type à l'eau ?

La mort de Charles Cros

Notre pauvre ami Charles Cros est mort.

Le connaissant bien je l'aimais beaucoup, et, quoique le sachant malade et affaibli depuis longtemps, j'ai été douloureusement stupéfié de sa mort si brusque.

Cela restera une des grosses peines de ma vie de n'avoir pas été averti à temps pour lui serrer la main une dernière fois.

Pauvre Cros ! Je le vois encore le jour où je le rencontrai pour la première fois. C'était, si je ne me trompe, en 76. Comme ça va, le temps !

J'avais lu le matin dans *Le Rappel* une chronique scientifique de Victor Meunier, qui semblait un conte de fées.

Un jeune homme venait d'inventer un instrument bizarre qui enregistrait la voix humaine et même tous les autres sons, et qui non seulement en marquait les vibrations, mais reproduisait ces bruits autant de fois que l'on voulait.

L'instrument s'appelait le *paléographe*. La théorie en était d'une simplicité patriarcale.

Le lendemain, grâce à mon ami Lorin, je connaissais Charles Cros, l'inventeur du merveilleux appareil dont M. Edison devait prendre le brevet, l'année suivante.

Charles Cros m'apparut tout de suite tel que je le connus toujours, un être miraculeusement doué à tous points de vue, poète étrangement personnel et charmeur, savant vrai, fantaisiste déconcertant, de plus ami sûr et bon.

Que lui manqua-t-il pour devenir un homme arrivé, salué, décoré ? Presque rien, un peu de ce bourgeoisisme servile et lâche auquel sa nature d'artiste noble se refusa toujours.

Il écrivit des vers superbes qui ne lui rapportèrent rien, composa en se jouant ces monologues qui firent Coquelin Cadet, eut des idées scientifiques géniales, inventa le phonographe, la photographie des couleurs, le photophone (dans sa *Mécanique cérébrale*, Charles Cros décrivait un appareil théorique qui fit beaucoup rire l'Académie des sciences : la lumière qui parle ! Deux ans après, un Anglais inventait le même appareil qu'il appelait le *photophone* et touchait de la même

Académie un prix de 100 000 francs).

Nous tous, les camarades du *Chat Noir*, qui aimions tant le pauvre Cros, envoyons à sa famille nos douloureuses cordialités.

ALPHONSE ALLAIS

Un poète pleurard, raseur et tapeur s'est livré, à propos des obsèques de Cros, à une scandaleuse publicité personnelle. L'individu en question que, sur ses airs lacrymatoires et gélatineusement sympathiques, Salis avait accueilli dans la rédaction du *Chat Noir*, est sérieusement invité, dans l'intérêt de son derrière, à ne plus s'y représenter.

A. A.

La vengeance de d'Esparbès

Le cléricalisme, voilà l'ennemi.

Léon Gambetta.

Rassure-toi, ô jeune époux, ô Georges, le d'Esparbès dont il va s'agir en ce récit n'est pas le d'Esparbès que tu constitues si avantageusement.

Le d'Esparbès dont il va s'agir s'appelle d'Esparbès à peu près comme moi je m'appelle Paul de Cassagnac. Ainsi, tu vois !

Seulement, je le baptisai tel parce que je constatai chez lui plus d'un contact analogique avec toi-même. Par exemple : il est, comme toi, pas très grand, mais bien pris, musclé à souhait, râblé à nul autre second, bien d'aplomb. En sa face brune, telle la tienne, luisent des yeux clairs d'enfant, tels les tiens.

Tel toi, il fut caporal aux chasseurs à pied, mais pas tel toi, il ne lâcha les alertes *vitriers* pour se réfugier lâchement à l'ombre du drapeau du 46e d'infanterie. (Oh ! cette ombre, dis-moi, Georges, dis-moi, t'en souviens-tu ?)

Là, s'arrête toute similitude.

Toi, tu es ingénu et talentueux en diable. Lui, il est roublard comme une pelote de ficelle et facteur rural.

La suite de ce récit, d'ailleurs, creusera entre vos deux natures des fossés immarcescibles.

Lui se vengea petiotement, alors que toi tu aurais pardonné, comme en la Bible, avec un geste de prophète, large et peut-être même circulaire.

Facteur rural, ai-je prononcé, et je ne m'en dédis pas.

Georges d'Esparbès – conservons-lui ce nom, puisque ça me fait plaisir – chaque matin m'apportait mon courrier.

Chaque matin, je lui payais une goutte de mon plus vieux *Old calvados* sur lequel oncques ne le vit cracher. Nous taillions une bavette relative aux choses du jour. Souvent, je lui faisais un pas de conduite sur les routes nationales, sur les chemins de grande communication, et quelquefois par les sentiers.

« LES SENTIERS SONT D'ÉTROITS CHEMINS », a dit, non sans raisons, le regretté poète Albert Mérat.

Nous causions politique, socialisme, religion.

– Pour ce qui est de tout ça, m'avait déclaré d'Esparbès, moi, je suis *électrique*.

(J'ai toujours pensé qu'il voulait dire *éclectique*.)

Et je devinais vite d'où lui venait cette *électricité*.

Appelé par ses fonctions à remettre aux contribuables différents journaux que ces braves gens payaient, trimestriellement ou annuellement (selon la durée de leur abonnement), d'Esparbès prélevait une légère dîme d'une gazette par jour.

Par discrétion, chaque jour, il changeait d'organe.

Un jour, c'était *L'Intransigeant*, un autre jour, *La Patrie*, le troisième jour *Le Chat Noir*, et puis après *L'Univers* et ainsi de suite.

Ces lectures quotidiennes mais sans homogénéité avaient tué, au cœur de d'Esparbès, tout parti pris, toute conviction, tout enthousiasme, et c'est ainsi qu'il était devenu, selon sa forte expression, *électrique*.

En cette détresse d'idées, épaves clapotantes, surnageait, ô triomphe, la bottée radieuse de l'Amour, de l'Amour jamais désemparé.

D'Esparbès aimait.

Il aimait une veuve, forte, brune, avec de petits favoris, déjà plus très jeune, mais souhaitable encore à merci.

La veuve souhaitable n'était pas insensible au robuste jarret – mettons jarret – de d'Esparbès et ne le lui envoyait pas dire.

Aussi, le séjour du facteur chez la belle veuve durait, peut-être, plus de temps que ne semblait le comporter la remise d'un courrier ordinaire, fût-il chargé à mitraille.

À la campagne, on n'est pas très regardant, heureusement.

Un jour, d'Esparbès me remit mes lettres et mes journaux, sans perpétrer sa petite plaisanterie coutumière, laquelle changeait chaque fois, sans se renouveler beaucoup, du reste.

Il avait la figure bouleversée, ses yeux luisaient mauvaisement, et sa bouche était torse.

– Qu'y a-t-il donc de cassé, mon vieux d'Esparbès ? fis-je sympathiquement.

– Il y a... Il y a... Il y a rien !

Cinq minutes après, grâce à ma science de prendre les gens, je savais tout.

Il y avait que la veuve souhaitable trompait d'Esparbès, à tour de bras, et devinez avec qui ?

Avec l'abbé Chamelle, le curé de Cornouilly, un de ces prêtres comme on ne comprend pas que l'évêque en envoie dans les paroisses respectables. Une fripouille, quoi.

D'Esparbès écumait.

– Mais je me vengerai, concluait-il, je me vengerai.

D'Esparbès se vengea, en effet, mais il se vengea de telle façon que ma plume se cabre à vous conter cela.

Un soir, l'humble fonctionnaire, après dîner, s'aventura dans un de ces petits cabarets innombrables sur les quais d'Houlbec, cabarets fréquentés par des charbonniers, des pêcheurs attardés, et de ces filles qui, au métier de leurs charmes, joignent un total mépris des lois les plus élémentaires de l'hygiène intime.

D'Esparbès passa quelques minutes avec l'une de ces dernières.

Ajoutons tout de suite qu'il fut servi à souhait.

Dans la semaine qui suivit, il obtint du médecin de l'administration un congé de huit jours.

Le dimanche d'après, dès le petit matin, je fus réveillé par d'Esparbès.

Je ne l'avais jamais vu si gai.

– Voulez-vous bien rigoler ? me fit-il.

Je fus affirmatif.

– Alors, faites atteler et allons à la grand-messe à Cornouilly. Vous ne perdrez pas votre temps.

Nous arrivâmes quand les fidèles pénétraient dans le saint lieu.

L'abbé Chamelle me sembla mettre peu d'entrain à son opération sacrée. Un peu pâlot, il gravissait péniblement les degrés de l'autel.

D'Esparbès se tenait les côtes.

Au moment où, après avoir présenté aux ouailles le calice plein du sang du Christ, le prêtre se préparait à avaler ce petit Graves à 180 francs la barrique (rendu en gare), d'Esparbès se leva, et, d'une voix âprement narquoise, très forte :

– Méfie-toi, curé, s'écria-t-il. Tu sais bien que le médecin t'a défendu de le boire pur !

Vert-vert

À Séverine.

Pauvre diable !

Je le vois encore arrivant le matin, hâve, blême, enveloppé dans sa maigre et luisante redingote de professeur infortuné.

Comme il était très doux et très triste, ses élèves - dont moi - le jugeaient extrêmement ridicule et ne manquaient pas une occasion de le rendre malheureux, en bons petits bourgeois que nous étions déjà, cruels et lâches.

Mâtin ! qu'il faisait froid cette année-là !

Et, malgré la pluie, le vent, la neige, notre professeur arrivait simplement vêtu de sa maigre et luisante redingote dont il relevait le col.

Pourtant, au retour des vacances du jour de l'an, le pauvre diable entra le matin à la classe enveloppé dans un pardessus...

Non, mes amis, un pardessus !

La joie que nous éprouvâmes à la vue de ce vêtement tint du délire épileptiforme.

Et nous ne savions pas ce que nous devions le plus admirer en ce chef-d'œuvre, ou sa forme, ou sa couleur.

Inénarrable, sa forme ! Gauchement taillé, godant par ci, tirant par là, remontant dans le cou. Et les manches ! Et les poches ! Et les boutons !

Mais ce qui nous mettait le plus en gaîté, c'était encore sa couleur.

Imaginez que, dans une forêt vierge du Brésil, on tue une grande quantité de perroquets, parmi les plus verts des perroquets du Brésil, et que, de leur plumage, on tisse une étoffe, vous pourrez vous imaginer la couleur du fameux pardessus.

Immédiatement, nous baptisâmes notre professeur Vert-Vert, et un spirituel loustic de la classe poussa un : *As-tu déjeuné, ma petite cocotte ?* des plus comiques.

Le pauvre Vert-Vert devint plus triste encore que de coutume, et il me sembla bien que deux larmes lui perlèrent aux yeux.

Le fameux pardessus nous amusa une grande semaine, et puis, un beau matin, Vert-vert, sans doute dégoûté de sa *pelure*, nous arriva simplement vêtu de sa maigre et luisante redingote.

Et pourtant, nom d'un chien ! il faisait une sacrée bourrasque, ce jour-là.

Le lendemain, pas de Vert-Vert.

Le principal nous annonça que notre professeur, ayant perdu sa mère, serait remplacé par un pion pendant deux jours.

Vert-Vert nous revint, au bout des deux jours, plus blême, plus hâve, plus triste et plus doux qu'avant.

Devant la désolation du pauvre diable, nous voulûmes bien désarmer. On lui jeta un peu moins de papier mâché à la figure.

À quelque temps de là, un jeudi, je fouillais à l'étalage d'une fripière, à la recherche d'un livre *cochon*, quand j'aperçus dans le fond de la boutique, devinez quoi ?

Accroché avec d'autres nippes, le pardessus de Vert-Vert éclatait de tout le triomphe de sa verdure étincelante.

L'occasion était trop belle, vraiment.

- Combien ce pardessus ?

- Douze francs.

En marchandant longuement, j'obtins une notable réduction et, pour six francs, le chef-d'œuvre devint ma propriété.

J'eus beaucoup de peine à me procurer les six francs, je vendis quelques livres, j'extorquai par intimidation une menue somme à ma sœur et je crois bien que je pris le reste dans le *comptoir* paternel.

Le lendemain, pour bien jouir de mon triomphe, drapé dans ma verte acquisition, j'arrivai à la classe un peu en retard.

Nulle plume humaine ne saurait dépeindre mon indescriptible triomphe.

Mes camarades levèrent les yeux, m'aperçurent, et ce fut un éclat de rire formidable et inextinguible.

Moi, de mon air le plus naturel du monde, je gagnai ma place.

Vert-Vert, effroyablement pâle, s'était levé.

– Monsieur, s'écria-t-il, vous avez mon pardessus !

– Mais pas du tout, m'sieu, c'est à moi. Je l'ai acheté hier chez la mère Polydore.

– Apportez-le moi, je vous le confisque.

– Non, m'sieu, j'vous l'apporterai pas. Vous n'avez pas le droit de confisquer les *effets*.

La discussion s'aggrava. Vert-Vert me mit à la porte. Je me plaignis au principal qui me donna raison.

Le soir même, je rencontrai le pauvre diable dans la rue. Il m'appela et voici ce qu'il me dit :

– J'ai eu tort ce matin de crier. Ce pardessus est à vous puisque vous l'avez payé. Mais si vous voulez être bien gentil, ne le mettez pas pour venir au collège, ça me fait trop de peine... Vous savez que j'ai perdu ma mère l'autre jour. Eh bien, c'est elle qui l'avait fait. Elle avait trouvé un coupon d'occasion, elle l'avait taillé et cousu elle-même. En me le donnant pour mes étrennes, la brave femme me dit « Tiens, mon pauvre garçon, voilà un manteau, il n'est pas très beau, mais il te tiendra chaud. » Deux ou trois jours après, elle est tombée malade... Nous ne sommes pas riches ; nos petites ressources se sont vite épuisées, et, un beau jour, pour acheter du bois, j'ai dû vendre le pardessus. Oh ! je ne l'ai pas vendu bien cher... Et puis, quelque temps après, ma mère est morte. Alors, vous comprenez, quand vous vous moquez de mon pardessus vert, il me semble que vous vous moquez de ma pauvre maman, et ça me fait beaucoup de peine.

À ce moment, il me regarda ; je pleurais comme une grosse bête.

Je lui demandai pardon et, le soir même, je tins à lui rendre sa relique que je ne trouvais plus ridicule.

Et, depuis ce temps-là, quand je vois des paletots gauchement taillés, avec des drôles de manches, et des drôles de poches, je pense que c'est peut-être une pauvre vieille maman qui a passé une nuit à le coudre et qui le matin a dit : « Tiens, mon garçon, il n'est pas beau, mais il te tiendra chaud. »

Et je ne ris pas.

Finis chat noiri

À Madame Gabrielle Salis.

Vixit ! pour continuer à prouver qu'on a fait ses humanités. Le Chat Noir est mort ! Fermé, le cabaret. Anéanti, le théâtre ! Évanouies, les ombres chinoises ! Disséminés, les procès et les chansonniers ! Aboli, le journal !

C'est quelque chose de beaucoup d'entre nous qui s'en vit, et quand j'ai appris la vente d'aujourd'hui des derniers tableaux, dessins et autres bibelots d'art qui vont s'éparpiller

Aux quatre vents, Seigneur, des enchères publiques

quelque chose comme une larme a trembloté sur mes vieux cils.

Ah ! le Chat Noir, le premier Chat Noir, celui du boulevard Rochechouart !

Vous êtes trop jeunes, gamins, pour avoir connu ce caboulot mirifique !

Oh ! les méchants gars qu'on était alors, et qui ne pensaient qu'à faire endêver le pauvre monde avoisinant.

C'est surtout un petit horloger qui écopa le plus ! On l'embêtait si bien, ou plutôt si mal, qu'il en contracta bientôt la mort.

Ce petit horloger, que je m'empresse tout d'abord de rendre antipathique en ajoutant qu'il était méchant comme la gale et de mœurs franchement usurières, ce petit usurier, dis-je, occupait une exiguë boutique, presque une échoppe, située tout contre celle où Rodolphe Salis avait installé son tumultueux cabaret (le premier, bien entendu, celui auprès de l'Élysée-Montmartre).

Bientôt, tous les artistes de la Butte et une partie de ceux du quartier latin se pressant dans les flancs du Chat Noir, le local devenait manifestement trop étroit.

Salis rêva d'agrandissement et jeta sur la boutique du petit horloger des regards concupiscents.

– Petit horloger, mon voisin, lui dit le gentilhomme-cabaretier, allez porter ailleurs votre coupable industrie et cédez-moi votre taudis. Pour une fois, vous aurez bien mérité de l'Art et de Montmartre.

Mais ce noble langage ne toucha point l'âme vile du petit horloger qui acceptait bien la proposition, mais moyennant des sommes capables de donner le frisson aux plus valeureux.

– Ah ! c'est comme ça ! dit Salis. Eh bien, nous verrons !

Et l'on put voir, en effet !

À partir de ce moment, le petit horloger ne connut plus une minute de tranquillité.

Peu de mois s'écoulèrent avant les premières manifestations de dérangement cérébral du personnage, puis de gâtisme, puis, finalement, de trépas.

Il faudrait de massifs in-quarto pour relater par le menu les sinistres plaisanteries que nous nous ingéniions à composer contre le fâcheux voisin.

Je ne veux en dire qu'une, à laquelle cette période de ballottage donne un restant d'actualité.

C'était à un moment d'élections municipales. Tout Paris était inondé de placards et manifestes (entre autres de celui où Salis réclamait farouchement la séparation de Montmartre et de l'État).

Un beau soir, sur le coup de minuit, voilà que deux braves colleurs d'affiches s'aventurent au Chat Noir, munis d'une forte provision de papier et d'un plein seau de colle.

Aussitôt, l'un de tous ces mauvais sujets a l'idée positivement géniale d'utiliser ces affiches à l'hermétique calfeutrage de la devanture du petit horloger.

Et pendant que Salis saoulait consciencieusement les deux colleurs, nous remplissions leur office avec une activité toute professionnelle.

En quelques minutes, il ne restait de la devanture pas un pauvre centimètre carré qui ne fût recouvert d'une épaisse et multiple couche de papier.

Pour comble de cruauté, nous avions ajouté à notre colle de pâte une forte dose d'alun, substance qui la durcit et l'insolubilise.

Ah ! le lendemain matin, je vous prie de croire qu'on ne s'embêta pas !

Le petit horloger écumait littéralement. Une éponge d'une main, un racloir de l'autre, il s'escrimait, en poussant mille blasphèmes inarticulés.

Mais que faire ?

Sa devanture était bardée d'une terrible substance tenant le milieu entre la porcelaine et le cuir de rhinocéros.

Il lui fallut deux jours pour qu'il pût dégager sa porte et rentrer dans sa boutique.

C'était le bon temps !

The Meat-Land

À ce récit, un sourire d'incrédulité fleurit sur mes lèvres et de petites lueurs de rigolade avivèrent l'éclat de mon regard.

Mon interlocuteur ne se démonta point, ce qui ne vous surprendra nullement quand vous saurez que mon interlocuteur n'était autre que le *Captain Cap*, ancien starter à l'Observatoire de Québec (c'est lui qui donnait le *départ* aux étoiles filantes).

Cap se contenta d'appeler le garçon du bar et de commander : *Two more*, ce qui est la façon américaine de dire : *Remettez-nous ça*, ou plus clairement : *Encore une tournée.*

Je connais le *Captain Cap* depuis pas mal de temps ; j'ai souvent l'occasion de le rencontrer dans ces nombreux *american bars* qui avoisinent notre Opéra-National et l'église de la Madeleine ; je suis accoutumé à ses hyperboles et à ses *bluffages*, mais cette histoire, vraiment, dépassait les limites permises de la blague canadienne.

(Les Canadiens, charmants enfants, d'ailleurs, sont, comme qui dirait, les Gascons transatlantiques.)

Cap me racontait froidement qu'on venait de découvrir, à six milles d'Arthurville (province de Québec), une carrière de charcuterie !

J'avais bien entendu et vous avez bien lu : *une carrière de charcuterie !* de *meat-land* (terre de viande), comme ils disent là-bas.

Je résolus d'en avoir le cœur net, et le lendemain matin, je me présentais au commissariat général du Canada, 10, rue de Rome.

En l'absence de M. Fabre, l'aimable commissaire, je fus reçu – fort gracieusement, je dois le reconnaître – par son fils Paul et l'honorable Maurice O'Reilly, un jeune diplomate de beaucoup d'avenir.

– Le *meat-land !* se récrièrent ces gentlemen, mais rien n'est plus sérieux ! Comment ! vous ne croyez pas au *meat-land ?*

Je dus confesser mon scepticisme.

Ces messieurs voulurent bien me mettre au courant de la question, et j'appris de bien étranges choses.

Aux environs d'Arthurville, existait, en pleine forêt vierge (elle était vierge alors), un énorme ravin en forme de cirque, formé par des rocs abrupts et tapissés (à l'instar de nos Alpes) de mille sortes de plantes aromatiques, thym, lavande, serpolet, laurier-sauce, etc.

Cette forêt était peuplée de cerfs, d'antilopes, de biches, de lapins, de lièvres, etc.

Or, un jour de grande chaleur et d'extrême sécheresse, le feu se mit dans ces bois et se propagea rapidement par toute la région.

Affolées, les malheureuses bêtes s'enfuirent et cherchèrent un abri contre le fléau.

Le ravin se trouvait là, avec ses rocs abrupts mais incombustibles. Les animaux se crurent sauvés !

Ils avaient compté sans l'excessive température dégagée par ce monumental incendie.

Cerfs, antilopes, biches, lapins, lièvres, etc., se précipitaient par milliers dans ce qu'ils croyaient le salut et n'y trouvaient que la mort par étouffement.

Non seulement ce gibier mourut, mais il fut cuit.

Tant que la température ne fut pas revenue à sa norme, toute cette viande mijota dans son jus (ainsi que l'on procède dans les façons de cuisine dites *à l'étouffée*).

Les matières lourdes : os, cornes, peau, glissèrent doucement au fond de cette géante marmite. La graisse plus légère monta, se figea à la surface, composant, de la sorte, une couche protectrice.

D'autre part, les petites herbes aromatiques (à l'instar de celles de nos Alpes) parfumèrent ce pâté et en firent un mets succulent.

Ajoutons qu'un dépôt de *meat-land* doit prochainement s'installer à Paris, dans le vaste immeuble qui fait le coin de la rue des Martyrs et du boulevard Saint-Michel.

Une Société est en voie de formation pour l'exploitation de cette substance unique.

Nous reviendrons sur cette affaire.

Adolphine

ou

La ruse contraire à son but

Loin de mon domicile et m'apercevant soudain que j'étais dénué de tout mouchoir de poche, j'entrai dans la première boutique venue (pas une charcuterie bien entendu, ni chez un coiffeur) et fis l'emplette d'un de ces textiles engins.

À la caisse, comme j'allais régler le montant de ma dépense, je fus comme sidéré, comme médusé et, pendant quelques secondes, les forces m'abandonnèrent au point que je ne pouvais ouvrir mon porte-monnaie.

Celle qui siégeait à cette caisse – devais-je en croire mes yeux ! – celle qui siégeait à cette caisse – à défaut des yeux, mon cœur ne pouvait se tromper – celle qui siégeait à cette caisse, c'était Adolphine.

Adolphine !

Ce nom ne vous dit rien à vous, lectrice indifférente, égoïste lecteur.

Adolphine ! Pour moi c'est tout ce que j'avais de plus sentimental dans mon pauvre passé qui brusquement s'évoquait devant moi.

Adolphine !

Ah ! l'avais-je aimée, celle-là !

Et voici que je m'apercevais que, tel le feu sous la cendre, ma passion se réveillait, flambait à nouveau, etnesque, strombolique, vésuvienne !

Combien changée, Adolphine !

Je l'avais quittée – il est plus juste de dire que c'est elle qui m'avait plaqué – jeune, brune, jolie et maigre. Je la retrouvais moins jeune, comme de juste, plus brune encore et d'un exquis duveté ! plus jolie (à mon gré) et, ce qui n'est pas fait pour me déplaire, très forte.

Elle aussi m'avait reconnu.

Toute rose d'un léger émoi (oh ! les brunes que rosit un léger émoi !), elle me souriait ; mais, bientôt, d'un léger et mystérieux battement de paupières, elle implora ma discrétion...

Je me retirai.

J'appris vite que c'était la patronne de la maison, mariée avec le gros homme à tête de bouledogue qui, sur le pas de la porte, culottait une si remarquable pipe en écume de mer.

Tous les jours, régulièrement, je revins acheter un mouchoir.

Voir Adolphine pendant une minute, échanger avec elle quelques propos insignifiants, moquez-vous de moi, mais cela me suffisait presque, ma violente sensualité s'édulcorant, à l'égard d'Adolphine, de je ne sais quel incompréhensible respect.

Un jour pourtant, les choses brutalement changèrent.

N'avais-je point appris qu'Adolphine était la maîtresse d'un de ses affreux commis, un jeune calicot, joli comme un cœur, frisé, bichonné, immonde quoi !

Une ruse infernale germa dans ma cervelle, ruse que j'imaginai inratable pour, tout au moins, ridiculiser le godelureau aux yeux de sa flamme. (Les yeux d'une flamme !)

Ce fut à lui que je m'adressai, un jour, pour l'achat de mon mouchoir quotidien.

– Un mouchoir, bien, monsieur ; un seul ?

– Bien entendu, un seul. Je n'ai qu'un nez, je n'ai besoin que d'un mouchoir.

– Quelle initiale, monsieur ?

– Je m'appelle Henri.

– Parfaitement.

Cet imbécile me livra un mouchoir avec un H dans le coin.

– Pardon, monsieur, fis-je observer, vous vous êtes trompé ; ça s'écrit avec un A.

– Mais non, monsieur, c'est un H.

– Je vous dis que c'est un A ! Je le sais fichtre bien, puisque c'est mon nom !

– Monsieur, je vous assure...

– Fichez-moi la paix et allez à l'école !

Nos diapasons commençaient à monter ; attiré par ce vacarme, le patron s'arracha à son culottage.

– Qu'y a-t-il donc ?

– Il y a, m'indignai-je, que votre idiot de commis veut absolument que le nom *Alphonse* s'écrive par un H... je sais bien parbleu qu'il y a un H dans Alphonse, mais pas au commencement du mot. Or, monsieur, dites-moi si l'initiale (du latin *initium*) d'un mot n'est pas la première lettre de ce mot.

Terrifié par tant d'impudente mauvaise foi, le bellâtre balbutiait de vagues explications.

L'homme à la tête de bouledogue, ordinairement si tranquille, prit part à mon indignation.

– Écrire Alphonse par un H ! On n'a pas idée de ça ! Tenez, vous me dégoûtez, vous vous en irez à la fin du mois.

À la fin du mois, en effet, le calicot partait, mais... pleurez, mes yeux ! Adolphine filait avec lui.

Et je n'ai plus jamais revu ma belle, ma brune, ma plantureuse Adolphine.

Il roulait, le bougre !

Un mot, un simple mot à la hâte, car le temps presse, et, d'une plume alerte, finissons-en – sauf à y revenir – avec cette agaçante énigme de la marche du serpent.

Encore ce matin, me parvint sur ce sujet une centaine de missives que mon regard eut à peine, hélas ! le loisir d'effleurer.

Comme toujours en pareil cas, cette marée de correspondance pourrait se parquer aisément en deux biens divers courants : celui des gens sérieux, l'autre des plaisantins.

À ceux-ci, mon plus gracieux haussement d'épaules.

Examinons rapidement l'argument des premiers.

Parmi les gens sérieux, beaucoup d'ecclésiastiques...

(Un, entre autres, qui signe « Mgr Richard », mais dont je crois devoir considérer comme apocryphe la correspondance, écrite qu'elle est sur du papier au chiffre de la Brasserie Tourtel, établissement bien connu pour jouir peu de la clientèle de Son Éminence.)

Ces messieurs prêtres s'expriment (je résume) ainsi :

« Avant la malédiction divine, avant que Jehovah l'eût condamné, lui et sa descendance, à ramper sur le sol, le serpent marchait.

« Il marchait, monsieur, comme vous et moi, sur des pattes, organes que, du coup, dans sa colère, lui abolit le Très-Haut. »

Admettons.

Mais pourquoi le Bon Dieu, qui ne voulut point que dans la Nature la perte d'organes par traumatisme fût ataviquement transmissible (Ex. : la circoncision), a-t-il admis le cas pour notre seul serpent ?

Quel manque de suite dans les idées !

Quelle absence d'organisation !

Des ecclésiastiques, passons aux transformistes.

« Dans l'Origine, assurent ces messieurs graves, le serpent marchait.

« Il marchait, monsieur, comme vous et moi, sur des pattes, organes que, de génération en génération, certaines conditions d'existence, des besoins spéciaux, arrivèrent à supprimer.

« Ainsi, certains mammifères abandonnés à la carrière maritime n'ont-ils plus de pattes, et des oiseaux (le pingouin, par exemple) presque plus d'ailes ! »

Admettons.

Mais c'est tout de même, vous avouerez, dur d'admettre ces conditions de vie qui vous – c'est le cas de le dire – cassent bras et jambes, quand vous n'avez, pour y suppléer, ni ailes, ni nageoires, ni subterfuge quelconque analogue.

Comme je le disais plus haut, le temps presse.

Pour en terminer – sauf à y revenir – avec cette passionnante question, entrebâillons légèrement la porte à l'élégante solution.

Avant de ramper, le serpent roulait.

Saisissant délicatement sa queue entre les dents, le serpent composait ainsi comme un cerceau.

Un cerceau semblable à quelque pneu gonflé.

Une simple inclinaison de tout son corps dans la direction voulue, et le voilà parti.

Pascal – à moins pourtant que ce ne fut un autre – a dit de l'homme qu'il était un roseau pensant.

Le serpent se contentait, lui, d'être un cerceau vivant.

Mais soyez tranquilles, nous y reviendrons.

Un auteur inconnu

Ô jeunes gens qui, faisant litière de la volonté et de l'expérience paternelles, vous jetez à corps perdu dans la littérature, alors que le notariat ou le négoce vous tendent leurs bras considérés et rémunérateurs, réfléchissez bien avant de prendre un parti définitif.

Le spectacle en est continu, de ces déboires de poètes, de ces désargentures de romanciers, de ces périmées bottines de critiques.

Je ne parle pas des suicides, parce que c'est trop triste ; mais dans quels abîmes de désespérances, dans quelles fondrières d'infamie certains littérateurs n'arrivent-ils pas à tomber !

Pauvres gens !

Ces pénibles réflexions m'étaient récemment suggérées par un simple fait divers lu, par hasard, dans le journal *L'Avenir de Trouville-Deauville*. Le voici, textuellement découpé :

DEAUVILLE. – *Un vol de deux nappes a été commis au préjudice de Mme Adam, blanchisseuse à Deauville, par un auteur inconnu.*

Qui pouvait-il bien être, cet auteur inconnu ?

Pas Zola, bien sûr ! Pas Daudet, non plus ! Pas son fils Léon, dont le beau roman, *La Flamme et l'Ombre*, est dans les mains de toutes les jeunes filles véritablement indignes de ce nom ! Pas X... ! Pas Y... ! Alors, peut-être, ce pauvre Machin ? Ou ce malheureux Chose ?

Ah ! le drame n'était pas difficile à reconstituer !

Le jeune littérateur [était] venu à Trouville, afin d'y passer la belle saison.

Il avait joué, perdu.

Et puis, les cocottes aussi, sans doute, l'avaient soulagé de ses trop faibles ressources.

Il avait écrit à sa famille.

Pas de réponse.

À ses amis.

Égal mutisme.

À des éditeurs, en vue d'un roman à publier.

Refus poli, mais sépulcral.

Cependant, la saison s'avançait : le pauvre garçon devait de l'argent à son hôtel et ne possédait pas le moindre sou pour regagner la capitale.

Un jour qu'il se promenait sur la route de Villers, qu'aperçoit-il ?

Du linge qui sèche dans un clos.

Personne auprès.

En moins de temps qu'il n'en faut pour l'écrire, une paire de draps devient la proie du poète, des draps dont il tirera les quelques francs nécessaires au retour.

Malheureusement, un petit garçon, caché derrière une haie, l'a vu (tout ça, naturellement, c'est des suppositions que je fais).

L'enfant crie : *Au voleur !*

Surviennent, armés de fourches, des paysans.

Notre larron est conduit à la gendarmerie, d'où : déshonneur, furie de la famille, carrière brisée, etc., etc.

Le lendemain même du jour où j'avais lu le petit fait divers en question, une affaire urgente m'amenait à Deauville, chez mon vieux camarade Aubourg.

Moins mû par la curiosité que par le désir de rendre service, si possible, au pauvre auteur, je me rendis chez Mme Adam, la blanchisseuse lésée, et fis ma petite enquête.

Mais Mme Adam ne voulut rien savoir ou, pour parler plus exactement, ne rien me faire savoir.

Celui qui lui avait volé ses draps, elle ne savait même pas qui c'était.

Vaine demeura mon insistance.

Parbleu ! conclus-je, Mme Adam aura été dédommagée par la famille, et son silence est respectable.

Le brigadier de gendarmerie eut une attitude aussi discrète ; il ne savait rien du voleur, rien de rien !

J'accourus aux bureaux de *L'Avenir de Deauville-Trouville :*

– Eh bien ! mon cher confrère, il paraît qu'un littérateur fut coffré pour vol de draps. Qui est ce jeune ?

Le secrétaire de rédaction de *L'Avenir* ouvrait de grands yeux :

– Un littérateur ! Je ne sais pas... Quel littérateur ?

Je dus lui montrer le fait divers où il était question d'un *auteur inconnu.*

Alors, mon sympathique confrère me dit dans quelle erreur je gémissais depuis la veille et m'expliqua que nul romancier, célèbre ou ignoré, n'était compromis dans l'affaire.

Ce qu'il avait voulu dire, c'est simplement que l'*auteur* du vol était *inconnu.*

Que diable ! On s'explique !

Autres temps, autres mœurs

Connaissez-vous ce charroi anglais ?

Dans un salon, un gentleman raconte qu'on vient d'avoir, enfin, des nouvelles de l'expédition Greencat, partie, l'année dernière, afin de retrouver les restes, tout au moins, de l'infortuné capitaine Irondrop et de ses compagnons, perdus dans les glaces du pôle Nord, depuis plus de trente ans.

Les détails sont palpitants ; toute l'assistance n'est qu'une pantelante oreille suspendue aux lèvres du narrateur :

– Alors, poursuit-il, figurez-vous les sentiments qui durent agiter Greencat et ses camarades noyés dans cette interminable nuit polaire, quand le matelot de vigie, un nommé Frogfield, s'écria : « Une lumière par S.-S.-W. ! »

Une lumière !

Une lumière dans ces parages !

N'était-ce point hallucination de Frogfield ?

Tous dardèrent leurs yeux vers l'indiquée direction.

Nul erreur !

Une lueur, là-bas, une faible lueur, pâlement s'auréolait au sein de l'opaque horizon.

– Hallucination collective ? s'interrogeait le médecin de l'expédition, doctor Featherson.

– Mais non, mais non ! impérait Greencat, marchons ! La lumière pour direction, et de la route, hein !

Quand Greencat demande *de la route*, ses vaillants compagnons savent ce que parler veut dire, et le pas gymnastique, sans plus tarder, devient leur apanage.

Quel spectacle, mes pauvres ladies et gentlemen ! Quel spectacle !

Dans une caverne, sept corps étendus, semblant dormir, tant le froid les avait soigneusement conservés.

L'un d'eux, le capitaine Irondrop en personne, le crayon encore à la main, saisi debout par la mort, au moment où il traçait les derniers mots de son journal !

Oh ! oui, quel spectacle !

Et la lueur sinistre de cette torche enfoncée dans un bloc de glace, éclairant ce tableau vivant – si j'ose m'exprimer ainsi – depuis plus de trente ans ! ! !

À ce moment du récit, il est fatal qu'une grosse dame blonde aux yeux bleu-faïence, et chaussée de bottines qu'elle gagnerait à prendre la pointure au-dessus, s'écrie :

– Comment !... Une torche ?

– Eh ! oui, fait de sa voix la plus naturelle le narrateur, une torche... Vous ne savez pas ce que c'est qu'une torche ?

– Si... si... mais une torche !... depuis trente ans ?

Autrefois, de mon temps, le narrateur s'en tirait ainsi :

– Bien sûr ! La flamme était gelée !

Aujourd'hui, la même histoire continue à recruter son petit succès.

Seulement, le narrateur :

– Bien sûr ! s'en tire-t-il, la flamme est en radium !

Autres temps, autres mœurs !

Le barbier qui en bouche un vrai coin à un client de passage

Voici quinze jours ou peut-être même trois semaines, je faisais mes lecteurs (et mes jolies petites lectrices) confidents de la douce manie que je possède, en vue d'occuper mes loisirs provinciaux, de me mettre bien avec le pharmacien du pays et de passer quelques instants quotidiens de flânerie au sein de sa pittoresque officine.

Comme je ne peux pas accomplir mon existence entière chez mes excellents amis les potards départementaux, je consacre également quelques laps en bavardages chez le barbier du pays.

Si vous voulez vous mettre rapidement au courant de l'état d'âme d'un pays, faites comme moi, consacrez d'interminables instants en séjours chez le Figaro de l'endroit, prenez un air de rien, écoutez, et provoquez, avec une habileté infernale, les ragots les plus scandaleux. Le lendemain, exécutez le même manège chez l'autre Figaro. (Les plus humbles bourgades comprennent toujours, pour le moins, deux barbiers.)

Au bout d'une semaine de cet exercice, le patelin n'aura plus de secret pour vous : vous saurez tout ce qui s'y passe, tout ce qui s'y est passé, et une grande partie de ce qui ne s'y passe pas.

Dans le monde de la *Coiffure*, c'est un peu comme dans tous les autres mondes, il y a des imbéciles et des gens d'esprit, mais j'ai cru remarquer, au cas où un perruquier se met à être spirituel, qu'il l'est plus que dans les autres *parties*.

En l'espoir de vous faire partager cette conviction, je vais vous conter de quelle façon un barbier villageois se montra digne de son vieux et regretté confrère de Séville, l'illustre Figaro.

Un monsieur de la ville, qui se trouvait dans notre hameau, éprouva le besoin subit de se faire faire la barbe. Il entre dans le *salon* de notre homme, infiniment propre d'ailleurs, mais d'aspect modeste, et, de son air idiot d'arrogant citadin :

– Est-ce qu'il y a moyen, s'écrie-t-il, de se faire raser ici sans attraper de sales maladies ?

Notre homme ne bronche pas sous l'injure.

Au contraire, il prend son air le plus aimable :

– Mais comment donc, monsieur ; le service de cette maison est tout ce qu'il y a de plus conforme à la science antiseptique moderne.

– Ah ! vraiment ? fait l'autre, narquois.

– Parfaitement, monsieur. Vous pouvez vous asseoir sans crainte sur ce fauteuil. Chaque fois qu'il a servi, on le baigne longuement dans une solution de sublimé.

– Tiens, tiens...

– Ce blaireau que vous voyez vient d'être soumis à un courant électrique qui l'a complètement démicrobisé.

– Ah ! ah !

– De même pour ce peigne qui sort d'une étuve chauffée à 120 degrés sous une pression de quatorze atmosphères et demie.

– Bigre !

– Pour ce qui est du savon, nous lui faisons subir un traitement qui abolit en lui la moindre trace de bactéries.

Le client commence à se demander si, des fois, le barbier ne s'enverrait pas quelque peu sa cafetière.

Notre homme poursuit :

– Nos rasoirs, avant de servir, sont passés à l'arc voltaïque.

L'autre ne sait plus quelle attitude meilleure il lui conviendrait de prendre.

Impitoyable :

– Quant à notre linge, insiste Figaro, lavé d'abord à l'eau surchauffée, il est ensuite brusquement projeté dans de la glace pilée, en sorte qu'admettant que plusieurs bacilles aient résisté aux hautes températures, ils claquent alors d'un chaud et froid...

« Ce n'est pas tout... »

Mais l'arrogant citadin déchante étrangement de sa précédente allure.

– Allons, grogne-t-il, en voilà assez de tous ces boniments !...

« Rasez-moi, ça vaudra mieux. »

Notre homme de jeter les bras au ciel :

– Moi vous raser, se récrie-t-il, quel blasphème venez-vous de proférer ! Moi...

– Oui, alors ?

– Mais, monsieur, le garçon.

– Et où est-il, ce garçon ?

– On est en train de le faire bouillir.

Therapeutic business

– Surtout, me recommandèrent les gens, ne quittez pas Dodoftown sans avoir jeté un coup d'œil sur la maison de santé du professeur Madcat. C'est très curieux, vous verrez. Invoquez le prétexte que, souffrant d'une maladie nerveuse, vous désirez vous rendre compte de son traitement.

Un succès fou, paraît-il, ce traitement !

Par milliers, provenant de l'Amérique du Nord et, plus généralement, de toutes les Amériques, affluaient les malades.

Si bien que, d'annexes en annexes, d'ailes en ailes, de pavillons en pavillons, l'établissement du professeur Madcat menaçait d'envahir toute la banlieue ouest de Dodoftown.

D'immenses casernes, eût-on dit.

Ajoutons que le prix du traitement – quatre dollars par jour, tout compris – est des plus abordables.

– En quoi consiste ce traitement ?

– Oh ! pas compliqué, mais donnant des résultats merveilleux ! Le système *roticuratif*.

– *Roti... ?*

– *Curatif...* Comme l'indique son nom, la *roticure* est un procédé de guérison par les roues.

– Nous avons déjà la bicyclette, excellent appareil antineurasthénique.

– Rien de commun. La *roticure* n'emploie que des roues fixes ou, pour dire plus juste, des roues à axe immobile.

– Et les malades sont astreints à tourner ces roues ?

– Une grande partie de la journée.

– En effet, ce doit être fort curieux.

Le professeur Madcat me reçut le plus gracieusement du monde.

Après m'avoir ausculté, palpé sur ce que j'appellerai toutes les coutures :

– Je compte, diapronostiqua-t-il, qu'un traitement d'un mois amplement suffira, cher monsieur, à remettre sur un pied normal vos pauvres méninges.

Sans m'attarder au curieux horizon de méninges surmontant un pied, même normal :

– Entendu, docteur, à partir de demain, je serai votre pensionnaire. Mais, dès aujourd'hui, ne pourrais-je pas me rendre compte ?...

– Rien de plus légitime. Venez.

Spectacle peu banal.

Dans un immense hall, des roues, des roues, des roues !

Des roues de toutes physionomies, de toutes dimensions et de puissances variées.

Certaines qu'un bras débile suffit à mouvoir, d'autres exigeant des trésors d'énergie.

La main droite collée à la manivelle de ces engins, cinq ou six cents hommes imprimaient à leur bras le mouvement circulaire indiqué dans ce sport.

Un grand bourdonnement emplissait l'immense galerie.

Soudain, le strident d'un sifflet !

Dociles, accomplissant, ainsi qu'au régiment, un demi-tour à droite, tous ces messieurs changent de main.

C'est le bras gauche qui travaille, maintenant.

Chaque quart d'heure, le même coup de sifflet.

Au bout d'une heure, assourdissant carillon.

Arrêt brusque du travail, sortie des malades qui s'épongent le front.

Et remplacement immédiat de tous ces messieurs par une équipe d'autres messieurs semblables, se livrant, sans perdre une seconde, au même consciencieux labeur que les précédents.

Le professeur Madcat guettait sur mon visage une éclosion d'émerveillement.

Le brave homme, bientôt, fut à souhait servi :

– Professeur, vous êtes un homme véritablement mirifique !

– Oh ! un simple philanthrope, qui cherche à adoucir le mal de ses semblables.

– À raison de quatre dollars par jour.

– Quatre dollars... Mais c'est donné !

– Sans compter ce que vous rapporte votre excellente scierie mécanique d'à côté.

– Ma scierie !...

J'avais deviné juste !

Garnies de pignons, de treuils, de courroies, ces roues que mouvaient d'une vaillance si bénévole ces poires de névrosés, ces roues, ces mille roues, actionnaient l'immédiate scierie de bois, appartenant à l'ingénieux thérapeute.

Quand les Américains ont dit : « business ! » ils ont tout dit.

Et pas fichtre moi qui leur donnerai tort.

C'est égal, la *roticure* en bouche un terrible coin à la question sociale.

Un cas peu banal, nous semble-t-il

Nous étions trois personnes dans ce compartiment.

Trois, pas une de moins, pas une de plus, détail qui a son importance, ainsi qu'on va voir.

Ces trois personnes se dénombraient ainsi :

1° L'infatigable remueur d'idées qu'est l'auteur de ces lignes et que je me permets de citer en tête à cause de la situation suprématique qu'il occupe dans les lettres d'aujourd'hui ;

2° Un monsieur d'aspect quelconque, mais si formidablement quelconque que cela en devenait une curieuse originalité ;

3° Celle-là, je l'ai gardée pour la bonne bouche, comme disent les gens : une jeune fille d'une indicible beauté. Mais pourquoi faut-il, ô jeune fille d'une indicible beauté, que votre charmant visage recèle tant de non moins indicible tristesse !

Jeune et jolie comme vous êtes, point pauvre ainsi que l'indiquent votre vêtement et vos parures, que vous manque-t-il donc pour rire à la vie de toutes vos affriolantes quenottes ?

Je l'ignorais et maintenant que je le sais, comme je vous plains, ô jeune fille d'une indicible beauté !

Cependant, le monsieur quelconque redoublait encore de quelconquisme et mon intérêt se portait de préférence sur ma désolée compagne de route.

Quelques petits services que je lui rendis, une glace aidée à lui baisser (*sic*), un livre ramassé n'arrivèrent pas à lui arracher le moindre merci oral, mais quel sourire de gratitude, quel ineffable et douloureux sourire !

Tout à coup il se déroula le plus bizarre des phénomènes.

Sans que ni le remueur d'idées, ni le quelconque, ni la jeune fille eussent desserré les lèvres, une voix s'éleva dans le compartiment, une voix étrange, à la fois lointaine et proche.

Et cette voix disait :

– C'est bien la première fois, pardieu, que je voyage avec une demoiselle aussi exquise.

Qui de nous trois parlait ainsi ?

À moins que la voix ne vînt d'un compartiment voisin.

Mais non, avec le grondement du train, on n'eût pu percevoir aussi distinctement les mots prononcés.

Le plus curieux de l'affaire, c'est que mon effarement, bien légitime, ne semblait partagé ni par le quelconque, ni par la jeune fille que le mystérieux propos aurait pourtant dû intéresser.

De nouveau la voix s'éleva :

– C'est malheureux qu'elle ait un air si triste, la belle demoiselle... quelle joie ce serait de la pouvoir consoler !

Même indifférence chez mes deux compartimentaux.

Étais-je donc la proie d'une hallucination ?

L'énigmatique organe continuait ses galanteries, sans que la lumière arrivât à se produire dans mon esprit.

Quand soudain la jeune fille se tourna vers le quelconque et lui dit d'un ton plutôt sec, mais d'une voix harmonieusement timbrée :

– Si c'est pour m'étonner, monsieur, que vous vous livrez à toute cette ventriloquerie, je vous avertis que vous perdez votre temps et votre peine.

– Vous êtes donc bien difficile à épater, mademoiselle ?

– Ça n'est pas ça.

– Quoi donc alors ?

– C'est que je suis sourde et muette de naissance.

Maisons-Laffitte !

Le quelconque descendit.

Demeuré seul avec la jolie sourde-muette.

– Pardonnez mon indiscrétion, mademoiselle, mais si vous êtes sourde, ainsi que vous le dites – et quel intérêt avez-vous à mentir ? Comment avez-vous pu entendre les propos que vous tenait cet imbécile de ventriloque ?

– Pareillement aux aveugles lesquels, comme l'indique leur nom, dénués de la vue, suppléent à ce manque par une sorte d'hyperesthésie de leurs quatre autres sens au point de remplacer le manquant, de même, moi, pauvre sourde, suis arrivée à remplacer le sens de l'ouïe par une extraordinaire subtilité de la vue, si bien que je lis sur les lèvres de mon interlocuteur les paroles qu'il prononce et cela, monsieur, avec la même précision que vous pouvez les entendre avec vos deux oreilles.

– Parfaitement, mademoiselle, et je n'ignorais point ce détail, mais je vous ferai remarquer que ce monsieur, en qualité de ventriloque, ne remuait point les lèvres.

– Oui, mais son estomac et son abdomen étaient agités de légers mouvements imperceptibles de vous, grossier entendant, mais facilement interprétables de moi, subtile sourde.

– Rien, en effet, mademoiselle, ne saurait être plus simple.

– N'est-ce pas ?

– Cependant, une question encore, si cela ne vous fatigue pas trop.

– Au contraire.

– Si vous êtes muette, mademoiselle, ainsi que vous le dites – et quel intérêt avez-vous à mentir ? – comment pouvez-vous vous exprimer avec cette facilité ?

– Parce que, monsieur, rien n'interdit aux muets d'être ventriloques, ce qui est mon cas.

– Tous mes compliments, mademoiselle, mais – et ce sera ma dernière indiscrétion – étant ventriloque, pourquoi parlez-vous en remuant les lèvres ?

– Simple coquetterie de jeune fille, monsieur, de jeune fille fort affligée de son infirmité et qui veut faire croire aux gens qu'elle entend et parle comme tout le monde.

Le chapitre des chapeaux

Tous les ans, à peu près vers la même époque, elle revient la sempiternelle question des chapeaux féminins au théâtre.

À vous en faire le franc aveu, je serais pendu pour dire où elle en est : laissez-moi même vous déclarer qu'elle me laisse d'un froid quasi polaire.

Tout ce que je crois savoir, c'est qu'en certains établissements les dames sont contraintes de déposer au vestiaire leur encombrant galurin, ce qui leur fait pousser des clameurs sauvages.

En d'autres, elles sont loisibles d'arborer sur leur tête charmante les plus volumineux édifices, ce qui transforme leurs voisins de derrière (avez-vous remarqué l'égoïsme des voisins de devant ?) en autant de putois sans éducation ni bienveillance.

Encore une fois, cet état de choses me plonge dans de véritables torrents d'indifférence saumâtre : accoutumé depuis longtemps à, le soir, partager mon temps entre l'étude et la prière, je me fous de tout ce qui peut se passer dans toutes ces saloperies de spectacles.

Si je m'en occupe aujourd'hui, c'est uniquement poussé par le lucre, le hideux lucre, comme vous allez pouvoir en juger par la lecture du dernier passage de cette étincelante chronique.

Quand Victor Hugo vint à mourir, la première idée qui vint à tout le monde fut d'enterrer le pauvre grand défunt...

Pourquoi riez-vous ?

Je reprends :

Quand Victor Hugo mourut, la première idée qui vint à tout le monde fut d'enterrer le pauvre grand défunt au Panthéon.

Pour de chouettes funérailles, se disaient les gens, ça va être de chouettes funérailles.

Et ce furent, en effet, de chouettes funérailles, comme vous dites en votre trivial jargon.

Vous êtes tous trop jeunes pour vous rappeler cela, mais la moindre ouverture de laquelle on pouvait voir passer le lugubre (?) cortège se louait son pesant d'or, si tant est qu'une ouverture puisse peser quelque chose.

On cite un balcon des Champs-Élysées qui fut concédé moyennant dix modestes billets de mille.

Les plus humbles fenêtres du cinquième étage ne connaissaient de tarif inférieur à un louis.

Chargé par une famille de province de lui assurer quelques-unes de ces places, j'entrai dans une maison de la rue Soufflot, tout près du Panthéon, et qui portait un écriteau :

Fenêtres à louer

– C'est au premier étage, me dit la concierge.

Je la vois encore, cette concierge !

Au premier étage, me fis-je, bigre ! Ça va être chaud.

– Combien la fenêtre ?

– Cinq francs.

Allons, ce n'était pas trop cher et je voyais luire en mon esprit les horizons bien doux des hautes majorations.

– Pourrais-je voir la fenêtre ?

– Parfaitement, montez avec moi.

Je vous ferai grâce de la description de mon ahurissement, facile d'ailleurs à se figurer, dès que vous aurez appris que la fameuse fenêtre à cent sous donnait non pas sur la rue Soufflot en personne, mais sur une cour intérieure, sorte de puits où les yeux les plus félinesques n'auraient su distinguer un hippopotame d'avec une vieille boîte à sardines.

Plus encore stupéfait qu'irrité :

– Pardon, madame, fis-je avec la plus exquise douceur, j'ai bien peur qu'on n'aperçoive pas, d'ici, grand détail des obsèques.

– Oh ! faut pas vous monter le coup, vous ne verrez rien...

– Mais alors ?

– Vous ne verrez rien, mais *vous entendrez parfaitement.*

Il est certain que pour cinq francs, c'est tout ce que j'étais en droit d'exiger de cette femme fertile en ressources.

Avez-vous saisi la poloche ?

Les directeurs de théâtre ne seraient-ils pas bien avisés, dans le but de satisfaire du même coup deux clientèles, celle des dames à chapeau et celle des peu fortunés amateurs de spectacles, en autorisant les premières à conserver toutes leurs fanfreluches de tête et en abaissant le prix des places assises derrière ces gracieuses murailles ?

Comme pour l'enterrement de Victor Hugo, on n'y verrait rien, mais on entendait parfaitement.

Je propose, bien tranquille sur son sort, cette ingénieuse solution.

En voici une autre sur laquelle, celle-là, je compte d'autant plus énormément qu'elle repose sur une affaire où j'ai mis mes petites économies.

C'est le *Chapeau de théâtre dégonflable.*

Composé de soies analogues à celles qui servent à former les ballons, soies artistiquement découpées et coloriées, ce chapeau gonflé ne se distingue des autres que par plus de grâce et d'élégance.

Dégonflé, il se rabat sur les cheveux de la dame, formant une délicieuse coiffure d'intérieur.

Une mignonne pompe en aluminium et un simple robinet permettent en quelques secondes d'opérer l'une ou l'autre de ces transformations.

Je citerais volontiers le nom de l'industriel parisien qui va prochainement lancer cette charmante innovation, mais ma chronique aurait l'air d'une réclame, ce que je veux éviter par-dessus tout.

Deux nouveaux modes d'éclairage inoffensif

J'habite une région fertile en vers luisants, petits animaux dont la contemplation me causa toujours de l'allégresse, depuis les temps passés de ma prime enfance jusqu'à ce moment où je burine ces lignes sur un fin vélin emprunté à quelque lettre de faire-part.

Que d'heures n'ai-je point passées penché sur le ventre étrangement lumineux des vers luisants !

Aussi, cette année, à peine installé dans ma villégiature, n'eus-je rien de plus pressé que de sortir le soir et de recueillir, au talus des chemins, le plus grand nombre que je pus de ces phosphorescentes bestioles.

Délicatement, je les insérais dans un spacieux cornet de papier, et, bientôt, je les déposais au sein de mes massifs où, tout de suite, passé le premier effarement, mes petits éclaireurs se reprenaient à briller du plus charmant éclat.

Bien choyés, environnés d'herbes à leur goût, mes vers luisants n'ont pas tardé à pulluler : aujourd'hui, ils s'appellent légion.

Rien de plus séduisant que le spectacle de ces mille et tant douces lueurs piquant l'obscurité de mes plates-bandes ou le sombre de mes pelouses.

J'ai fait mieux encore.

Sous un de ces garde-manger en toile métallique et en forme d'hémiglobe dont usent nos ménagères pour préserver les aliments du contact des mouches, j'ai accumulé une centaine (exactement 107) de vers luisants, non sans avoir copieusement approvisionné tout ce petit monde de ses végétaux favoris.

C'est alors que le spectacle est devenu féerique.

Et il n'est point rare de voir des voyageurs aux portes de la ville qui oublient de respirer, avant d'entrer, l'air embaumé du soir, tant ils sont ahuris d'extase à la vue de cette illumination nouveau système.

Je suis persuadé qu'il y a dans cette petite expérience une précieuse indication pour l'avenir, et que le ver luisant intelligemment cultivé et sélectionné deviendra bientôt un des principaux agents de l'éclairage moderne.

Sans compter que son explosion est infiniment moins dangereuse que celle de l'acétylène, par exemple.

... Le temps me manque (j'ai dit au voiturier d'être là à 10 heures juste) pour entretenir ma distinguée clientèle d'une autre lumière également empruntée à la nature : je veux parler de la phosphorescence de la mer.

J'invite ceux de mes lecteurs qui habitent le bord de la Manche ou de l'Océan à faire cette expérience :

Un soir où la mer sera bien phosphorescente, descendez sur la plage avec une bouteille que vous emplirez à moitié de l'onde humide, en prenant soin d'y ajouter une bonne poignée de sable.

Chaque fois que vous agiterez votre bouteille dans l'obscurité, vous obtiendrez une belle lueur, fort suffisante pour, à une distance d'un mètre ou deux, lire un journal (un journal du soir, naturellement).

Je n'insiste pas, car la commission d'incendie pour les théâtres, séduite par ce nouvel éclairage, serait capable de l'imposer à nos établissements parisiens.

Ce serait de bien gros frais, évidemment, mais que de catastrophes évitées !

Doit-on le dire ?

Un de nos lecteurs qui, sans occuper dans la diplomatie un poste de premier ordre, est loin d'être le premier venu comme clerc de notaire, m'adresse l'épître suivante, dont le contenu jettera sans doute dans la perplexité plus d'un de nos clients :

« Honoré maître,

« À qui de plus digne saurais-je m'adresser, monsieur, que vous, vous qui sûtes élever votre profession de journaliste, parfois si décriée, à la hauteur d'un auguste et pur sacerdoce ? Oui, à qui ?

« Tel que vous me voyez, cher monsieur, je me débats dans les affres de la pire incertitude morale et suis la proie de l'indécision.

« Deux routes s'offrent à moi : la première, celle du Silence ; la seconde, celle de la Révélation.

« Chacune présente son lot, à peu près équivalent, d'avantages et d'inconvénients.

« Laquelle prendre ? Au secours !

« Écoutez plutôt :

« En villégiature dans un petit pays situé non loin d'un grand port de mer, il m'arrive souvent de me rendre vers ce dernier et d'y déjeuner.

« Mes moyens de fortune m'interdisant d'aborder les grands restaurants de la ville, Frascatis et autres Tortonis, j'ai fait la découverte, sur le principal quai, d'un petit caboulot, fréquenté de préférence par des gens de mer, pêcheurs, pilotes, etc., caboulot fort propre, je dois le déclarer, et dans lequel on mange une excellente cuisine bourgeoise et surtout des poissons divinement accommodés.

« Aimez-vous la société des pilotes ? Moi, j'en raffole ; aussi eus-je bientôt fait de lier connaissance avec la plupart de ces sympathiques et pittoresques bougres.

« L'un d'eux, et qui va bientôt prendre sa retraite, répond au sobriquet (dont j'atténue légèrement la forte expression) de "Père Aimabord".

« À table, le Père Aimabord (je continue à atténuer, mais ça m'embête, parce que le vrai mot est autrement significatif), le Père, donc, Aimabord a une spécialité : c'est lui qui accommode la salade, et il sied d'ajouter que ce modeste navigateur se tire à merveille de sa délicate mission. Chacun s'en lèche les doigts !

« Seulement, voilà, le bonhomme a son secret, un secret qu'il n'a jamais voulu communiquer à personne, et quand il se livre à son opération favorite, ce n'est qu'entouré du plus dense mystère et dans une petite salle où ne pénètre, à ce moment, nul être humain.

« Or, un beau jour, un être humain, à travers une vitre indiscrète, put contempler le manège du sieur Aimabord, et voici ce que dit l'être humain :

« – Le sieur Aimabord commença par accumuler au creux d'un bol sel, poivre, oignon haché, échalote de même, vinaigre, huile et moutarde, le tout en proportions savamment dosées.

« D'une cuiller agile, il battit la mixture avec la frénésie requise, puis...

« Je n'en crus pas mes yeux !

« Puis il avala le tout.

« Où plutôt, je m'imaginai qu'il avalait le tout.

« Nullement !

« Il avait conservé son savant mélange dans une sorte d'outre composée de sa cavité buccale, accrue du volume déterminé par le gonflement de ses joues.

« Après quoi, voilà mon cochon qui, ses deux mains remuant la salade, asperge lentement cette dernière de la pulvérisation que vous voyez d'ici : ainsi le vaporisateur projette sur votre face la fine poussière d'un parfum liquide.

« À ce spectacle, je ne pus m'empêcher de m'écrier : "Père Aimabord, vous êtes un rude saligaud !"

« Mais sans s'étonner :

« – Saligaud ! Pourquoi ? demanda le vieux pilote. Vous croyez donc que j'ai gardé ma chique ? »

« ... Le problème se pose là : Dois-je dénoncer mon dégoûtant personnage et priver, pour la vie, mes bons amis les pilotes d'un mets qui leur est cher ?

« Ou bien le devoir m'incombe-t-il de me taire et de laisser ces braves gens continuer à se repaître de l'ignominie ci-dessus ?

« Avouez, honoré maître, que le cas est étrangement épineux.

« Que dois-je faire ?

« Veuillez agréer, etc., etc.

« X... »

L'heure avancée de la nuit me force à remettre mon intéressante consultation à une date ultérieure.

Si, d'ici là, quelques obligeants et avisés lecteurs daignaient me venir en aide en cette délicate circonstance, je n'aurais pas assez de grâces à leur décerner.

La dot

Le dimanche soir, vers six heures.

Avez-vous remarqué ceci : quand il fait chaud à Paris, les dimanches soir, il y fait plus chaud – à indication thermométrique égale – que les autres soirs ?

Vous n'avez pas remarqué, dites-vous ? Cela n'a aucune importance. Vous n'êtes pas observateur, voilà tout.

Poursuivons.

Six heures ! C'est le moment où les Parisiens, ceux qui n'ont pas beaucoup d'argent à dépenser pour leur dîner, viennent au café s'ingurgiter des *apéritifs*, étranges et mystérieux breuvages, horribles au goût, mais somptueusement néfastes à l'estomac.

Quand on a absorbé seulement deux de ces philtres, on n'a plus faim, et on ne dîne qu'à moitié. Économie à considérer par les temps désargentés que nous traversons !

J'étais assis à la terrasse d'un café des boulevards, en face d'un liquide noir certainement sorti de la maison Borgia et Cie.

À la table voisine de celle que j'occupais, vinrent s'asseoir un monsieur et une dame, le monsieur évidemment le mari de la dame.

La dame demanda un *vermouth-cassis* et le monsieur une *absinthe-anisette*.

La dame demanda son *vermouth-cassis* sur le ton dont elle aurait commandé n'importe quelle autre chose indifférente.

Le monsieur demanda son *absinthe-anisette* sur un ton de lassitude inexprimable.

– Donnez-moi une absinthe, semblait-il dire, non point pour me griser, mais pour tâcher de m'oublier un peu et de m'évader – quand ce ne serait qu'un quart d'heure – de cette insupportable fabrique de rasoirs qu'est la Vie !

Notre buveur d'absinthe était un fort joli homme d'une trentaine d'années, simplement mais élégamment vêtu, d'aspect intelligent et déluré, mais comme il avait l'air de s'ennuyer, le pauvre homme !

Beaucoup trop galant pour dire d'une femme qu'elle est laide ou même peu gracieuse, je me contenterai d'affirmer que la dame du monsieur à l'absinthe était purement et simplement ignoble.

Sa disgrâce physique s'aggravait d'une expression bêtement arrogante et hostile. Une toilette prétentieuse mais de mauvais goût enveloppait cet ensemble et achevait de le rendre inacceptable de tous.

Ah ! je compris la désolation du pauvre monsieur ! À sa place, moi, loti d'une telle compagne, j'aurais bu, non pas un verre d'absinthe, mais des tonneaux d'absinthe, des fleuves d'absinthe, des océans d'absinthe !

Je n'entendais leurs propos que par bribes insignifiantes, mais à la mine agressive de la femme, à l'air las du mari, je devinais le peu d'idylle qui se passait là.

Tout à coup, le monsieur exprima par son attitude qu'il *en avait assez* de cette petite fête de famille !

D'une gorgée, il vida la seconde moitié de son verre (la première ayant été bue préalablement), il croisa les bras, regarda sa femme droit dans les yeux et lui dit :

– Est-ce que tu ne vas pas bientôt me *procurer* la paix ? (J'emploie le mot *procurer* à cause des convenances, mais le monsieur, à la vérité, se servit d'un autre terme.)

La vilaine dame parut un peu interloquée de cette brusque sortie.

– Oui, continua le monsieur, tu commences à me *raser* avec tes reproches et tes sous-entendus !

– Mes sous-entendus ?

– Oui, tes sous-entendus ! C'est ta dot, n'est-ce pas, dont tu veux me parler ?

– Mais, mon ami...

– Ta dot ! ah oui, causons-en de ta dot ! Elle est *chouette*, ta dot ! Sais-tu combien tu avais de dot ?

– Cent mille francs.

– Parfaitement, cent mille francs ! Sais-tu quel revenu représentent tes cent mille francs, tes fameux cent mille francs ?

– Je ne sais pas au juste...

– Et bien, je vais te le dire : tes fameux cent mille francs représentent trois mille francs de rente, et sans déduire les frais, encore !

– Mais, mon ami...

– Et trois mille francs de rente, sais-tu combien ça représente par jour ?

– Mais, mon ami...

– Ça représente neuf francs cinquante. Tu entends, NEUF-FRANCS-CIN-QUANTE-CEN-TIMES !

– Mais, mon ami...

– Employons les chiffres ronds et mettons *dix francs*... Dix francs par jour, sais-tu ce que ça représente par heure ?

– Mais, mon ami...

– Dix francs par jour, ça représente quarante centimes par heure. Voilà ce qu'elle représente ta dot : huit sous de l'heure... Franchement, ça valait mieux que ça !

– Vous m'insultez !

– Tiens, voilà huit sous que je te rembourse sur ta dot pour les soixante minutes de liberté que je vais prendre... Il est six heures et demie, je rentrerai à sept heures et demie pour dîner...

– Vous êtes un goujat !

– Et puis, je te préviens : quand je rentrerai pour dîner, si la cuisine ne sent pas très bon, très bon et si tu as encore cette tête-là, j'irai dîner ailleurs, en te remboursant, bien entendu, une fraction de ta dot, au *prorata* de mon temps d'absence. Au revoir, ma chère !

Et le monsieur, après avoir payé les deux consommations, partit, laissant sa femme toute bête devant ses huit sous.

Un état civil compliqué

Notre jeune et charmant maître Pierre Louÿs contait, voici peu de jours dans *Le Journal*, une histoire non pas à dormir, mais à rêver debout.

Résumons-la non sans élégance et fournissons-lui le complément que notre ami crut devoir esquiver.

Un beau jour, ou peut-être une belle nuit, une Italienne accouche d'un enfant double.

Cet enfant se compose de deux petites filles qui possèdent chacune une tête, deux bras, deux poitrines, le tout surmontant un ventre commun et une seule paire de jambes.

Les deux petites filles, baptisées Maria-Maddalena, semblant bien disposées à vivre ; elles vivent, tendrement élevées par leur mère qui ne songe pas un instant à en tirer profit par exhibition.

Croissance régulière, puberté normale, bref à seize ans, malgré l'étrange confusion de leurs beautés, ce sont deux adolescentes fort jolies et tout à fait de nature à troubler le tueur d'un amant.

Toutes deux tombent éprises d'un même jeune homme, mais c'est Maddalena seule que le jeune homme aime et dont il sollicite la main.

Maddalena accepte le mariage, Maria le repousse.

Étrange situation, n'est-ce pas ?

Maddalena consulte un avocat, Maria invoque les lumières d'un autre.

Le premier donne raison à sa cliente.

Ainsi fait le second pour la sienne, menaçant le jeune amoureux des pires sanctions pénales s'il met son projet à exécution ; coupable se rendra-t-il des crimes suivants :

Rapt d'une mineure et séquestration, puisque, pour posséder Maddalena, il devra enlever et conserver près de lui Maria.

Outrage à la pudeur, notre infortunée mineure se trouvant contrainte d'assister à toutes les caresses intimes entre les époux.

Complicité de sa sœur Maddalena, proxénétisme, traite des

blanches, etc.

Cessant d'être vierge en même temps que sa sœur, Maria sera victime d'un viol.

Circonstance aggravante, le coupable est son beau-frère.

Pour cette raison que le beau-frère est un homme marié, délit d'adultère...

Etc., etc., etc.

Que de crimes peuvent résulter fatalement de la simple consommation d'un mariage légitime !

Pierre Louÿs conclut de la sorte sa bizarre aventure :

« Le maire du pays protesta qu'il n'avait jamais songé à donner son assentiment et le mariage ne fut pas conclu. »

Tant il est vrai que la réalité dépasse les plus extraordinaires fantaisies, écoutez cette véridique histoire.

Un jour, à la foire de Nijni-Novgorod, dans la partie de l'assemblée réservée aux saltimbanques, jongleurs, danseurs de corde et autres curiosités diverses, se dressaient deux baraques où la foule se portait alternativement.

Dans l'une d'elles, on pouvait contempler un phénomène tout à fait semblable à celui que décrit notre ami Pierre Louÿs : double jeune fille ne formant à partir de l'abdomen qu'un seul être.

Originaires de Crimée, ces jeunes filles répondaient au nom de Sonia-Kathrin.

L'autre baraque offrait un spectacle analogue, seulement c'étaient deux jeunes hommes suédois, Gustaf-Adolf.

Gustaf-Adolf, admirablement conformés et beaux en leur étrangeté, ne furent point indifférents, dès qu'ils les connurent, aux délicieuses jouvencelles Sonia-Kathrin.

Cette passion se précisa bientôt. Gustaf devint éperdument amoureux de Sonia, Adolf de Kathrin.

Gustaf et Sonia formaient chacun le côté droit de leur couple ; Adolf et Kathrin le gauche.

En sorte que, les deux couples placés vis-à-vis, Gustaf se trouvait en face de Kathrin et en diagonale, hélas ! avec sa bien-aimée Sonia.

Le mariage eut lieu néanmoins à bref délai.

... Jetons un voile.

(Cette ligne de points représente assez fidèlement le voile qu'il convient de jeter en pareille circonstance.)

Qu'arriva-t-il ?

Il arriva bien vite, pour des raisons qu'il nous est facile et pénible à la fois de deviner, que le double ménage devenait un double enfer.

Dans la journée, les choses se passaient encore assez bien, mais la nuit...

... Ne regardons pas à la dépense et jetons un autre voile plus épais encore que le premier.

(Ces deux lignes de points représentent assez fidèlement un voile plus épais encore que le premier.)

Aussi Gustaf-Sonia-Adolf-Kathrin profitèrent-ils d'une tournée en Amérique pour d'abord divorcer, et ensuite se remarier chacun avec son ex-belle-sueur, dans des conditions moins fâcheusement diagonales.

Alors ils furent heureux et eurent beaucoup d'enfants.

Des enfants qui, non contents d'être frères et sœurs se trouvaient logiquement être cousins et cousines puisque, en même temps, fils, filles, neveux et nièces de leurs propres parents, lesquels, du même coup, étaient leurs oncle et tante.

Avoue, mon cher Pierre Louÿs, que mon histoire t'en bouche un coin... ou deux.

Dévouement filial digne de l'antique

L'aspect de cette chaumière n'éveillait chez le passant aucune idée d'aisance ni même de luxe, mais, tout de même, sans s'en bien expliquer la cause, on se disait que ces gens-là n'étaient pas les premiers venus qui habitaient là, tout en haut de cette falaise.

On avait raison : ces gens-là n'étaient pas les premiers venus, on pouvait même les tenir pour de notoires originaux.

Pour mon compte, je ne connus la tranquillité qu'après avoir réussi à les connaître, besogne d'ailleurs assez peu surhumaine.

Le père, un gros vieux débraillé à longs favoris mal entretenus, était un ancien médecin de la marine en retraite, disait-il – révoqué, affirmait le curé, oublieux de toute charité chrétienne.

Très instruit, d'une mémoire prodigieuse, ayant beaucoup vu et tout retenu, le Docteur, comme on l'appelait, constituait un pittoresque compagnon à l'heure de l'apéritif, car en dehors de cet instant sacré, pas plus de Docteur que sur la main.

Rassurez-vous, sa disparition n'offrait rien de cruellement énigmatique : il buvait des grogs chez lui, pendant ce temps.

Quant à sa fille...

Ah ! sa fille !

Pour les messieurs qui aiment les jeunes filles brunes, ils eussent été, s'adressant à elle, servis à souhait. Et avec ça des dents et des yeux.

Un vieux pêcheur du pays me disait, parlant d'elle : – Cette fille-là, on dirait une véritable indigène !

Le mot *indigène* exprimant pour notre homme une idée, sans doute, de tropical créolisme.

Le digne ecclésiastique cité plus haut nous donna ce détail, que la fille du Docteur ne possédait point un état civil parfaitement régulier :

– Le fruit, méprisait-il, de quelque amour d'escale.

Amour d'escale ou autre, n'empêche que cette splendide créature mettait en révolution les cœurs et, mettons, les têtes de tous les messieurs du pays, parmi lesquels pas mal d'étrangers, dont quelques artistes.

Un jour qu'elle s'avisa de prendre un bain et qu'on vit surgir de l'eau l'impeccabilité souple de son torse nu, le torrent sombre de ses cheveux qui, brusquement dénoués, dégringolèrent plus bas que de raison, ce ne fut qu'un cri parmi les plagiaires :

– M... âtin !

Les dames considérèrent que cette fille-là, ça ne devait pas être grand-chose de propre, opinion qui glissa sur le cœur des hommes sans y apporter plus d'endommagement que la balle de liège du pistolet d'un bébé de vingt et un mois sur la peau du rhinocéros adulte.

Un beau matin, mon vieux camarade Jack Footer, poète anglais, vigoureux et flegmatique, me tint, en ce français dont il détient le secret, ces propos :

– La fille du Docteur, mon bien cher garçon, stimule mon sentiment à un étiage que nul verbe humain ne saurait exprimer... J'ai conçu le désir de la posséder à brève échéance... De quel optime geste m'avisez-vous de fonctionner, en cette finalité ?

– Allez-y donc carrément, Footer, et surtout ne vous gênez pas pour moi.

– C'est bien ce que j'imaginais. Merci, mon cher garçon.

Le lendemain – oh ! ça n'avait pas traîné –, je rencontrai Jack Footer radieux, si spécialement radieux, qu'un mot de plus eût été un mot de trop.

– *My best compliments, Footer !* lui fis-je à brûle-pourpoint.

– Je les accepte... Mais la drôle de fille, mon cher garçon, la drôle de fille et tant inoubliable !

– Ah ! ah ! mon gaillard !

– Avez-vous lu *La Femme de feu ?*

– C'est là-dedans que j'ai appris à épeler.

– Eh bien ! auprès de Carmen, car elle s'appelle Carmen, la *Femme de feu* n'est qu'un pâle iceberg !

Et moi aussi, je m'écriai : *Mâtin !*

Jack Footer poursuivit :

– La résistance fut beaucoup plus désisoire que je m'y attendais. Carmen ne mit à notre rencontre qu'une condition : « Jurez-moi, dit-elle, que si vous veniez à tomber malade, vous ne vous feriez soigner par nul autre que mon père ! »

– Étrange contrat !

– Auquel j'ai souscrit de grand cœur.

Huit jours environ s'écoulèrent.

Après une absence, entrant au bar du Casino, je fus frappé de ce fait que Jack Footer, grand absorbeur de gin and soda et plus souvent de simple gin, se contentait ce jour-là de simple soda.

Les traits du poète anglais me semblèrent légèrement tirés.

Un jeune homme, à ce moment, entra :

– Barman, un orgeat !

Que signifiait ?...

Je me rappelai que le jeune homme à l'orgeat avait, lui aussi, flirté de très près avec la fille du Docteur.

Un autre survenant – oh ! qu'il paraissait fatigué, celui-là ! – se contenta d'une infusion de thé, mais si légère, si pâle !...

À la terrasse du café, confortablement installé, vêtu d'un beau veston bleu marine tout neuf, à peine agrémenté d'un peu de jaune d'œuf, trônait qui ?

Trônait le Docteur, en train de confectionner une de ces braves petites *purées* qui ne doivent rien à personne.

– Eh bien, Docteur, ça va ?

– Admirablement, cher ami ! Au nom de la morale, j'en suis désolé, mais au point de vue professionnel, vous m'en voyez ravi !... Tous les hommes d'ici, quels salauds !

Nouvelles révélations sur la foudre

Nos lecteurs trouveront, je l'espère, un vif intérêt à la curieuse communication qu'un de nos plus anciens, affirme-t-il, lecteurs veut bien nous adresser :

« Mon cher maître,

Dans un long article que M. Camille Flammarion publiait récemment au sein du journal *Le Temps*, on pouvait lire, non sans stupeur, l'interminable et saugrenue série des méfaits de toute sorte auxquels se livre la Foudre.

Méfaits et aussi certaines gamineries qui surprennent étrangement de la part d'une institution chez laquelle on attendrait plus de sérieux, vu son grand âge. (L'origine de la Foudre se perd, c'est le cas de le dire, dans la nuit des temps.)

La Foudre, d'après le dire du docte astronome, s'amuse à déshabiller le monde, les dames notamment, sans leur faire éprouver la moindre douleur ; elle s'ingénie à disperser au loin certains objets, prenant un malin plaisir à faire fondre au cou et aux oreilles de leurs propriétaires les colliers ou les boucles.

M. Flammarion ne va pas jusqu'à affirmer que les victimes de cette déplorable fumisterie en ressentent une appréciable sensation de fraîcheur.

Je vois d'ici le sourire de l'incrédulité s'épanouir sur vos lèvres désabusées.

Eh bien, monsieur et cher maître, vous avez tort, et tout ce que vous raconte M. Flammarion n'est rien auprès de deux électro-aventures dont je fus le héros et que je vous demande la permission de vous narrer ici.

... Je me promenais le long des fortifications par un temps d'orage... tonnerre... éclairs... Quel temps, bon Dieu ! et fallait-il que je fusse en proie à une folle luxure pour attendre une bonne amie par de tels météores !

Soudain, choc sur la tête, choc terrible qui me précipita, sans connaissance à terre !

Quand je revins à moi, je pus me livrer aux constatations suivantes qui laissent bien loin derrière elles les remarques de M. Flammarion sur le même sujet :

Mon porte-monnaie gisait à mes côtés, dénué de son contenu, sans doute volatilisé : l'armature métallique dudit porte-monnaie n'avait, chose étrange, rien éprouvé d'anormal.

Un peu plus loin, mon porfeuille vagabondait sur l'herbe, veuf d'un billet de cent francs qui en était précédemment l'hôte, et de trois timbres-poste neufs de quinze centimes.

Les autres papiers avaient été respectés en grande partie ; respectés également quelques timbres oblitérés que je retrouvai collés à leur enveloppe.

Disparue, ma montre en or !

À l'état de souvenir, mes boutons de manchette !

Ma canne à pomme d'argent, un superbe foulard de soie, introuvables !

Et puis – bizarre phénomène, sans doute, d'osmose –, mon mouchoir, que je m'obstine à tenir dans la poche droite de mon veston, passé dans la poche gauche !

Tous ces faits, cher et vénéré maître, semblent dépasser les limites de la créance. J'en atteste pourtant la rigoureuse et scientifique exactitude, et je poursuis :

La foudre avait éparpillé plusieurs de ces objets manquants dans une zone relativement étendue, car ma carte d'électeur (un des rares papiers choisis par le fluide) fut retrouvée dans la poche d'un rôdeur de Saint-Ouen, ma montre à l'étalage d'un brocanteur de la rue de Vaugirard, mon foulard dans la chambre d'une horizontale du quartier de la Goutte-d'Or, et mes boutons de manchette au devant de chemise de Charlot, la distinguée Terreur des Gobelins.

Pour le reste, en dépit d'annonces insérées un peu partout, je n'en entendis jamais parler.

J'ai cru cependant reconnaître, sur une lettre venant de Lons-le-Saunier, un de mes timbres enlevés par la Foudre.

Mal oblitéré une première fois, j'avais, suivant le processus indiqué par votre vieux Mougeot, fait disparaître à l'eau bouillante l'humble tare de ce coup de tampon distrait.

Ma deuxième aventure – car je vous ai promis deux aventures – n'est pas moins curieuse.

Rentrant chez moi à l'improviste, à la minute même d'un coup de tonnerre d'une rare violence, je trouvai ma jeune épouse complètement déshabillée par la violence du choc.

Il en était de même d'un de nos voisins venu pour lui rendre visite.

L'énergie électrique les avait précipités pêle-mêle sur le lit.

Je livre, éminent chroniqueur, ces faits à vos méditations, tout en vous priant respectueusement de vouloir bien agréer, etc., etc.

Lieutenant-colonel BUXO

Post-scriptum. – J'ai lu aussi, dans Pline le Jeune, qu'un étrange phénomène s'était produit, par un temps d'orage, au moment où deux Romains, un *vir* et une *mulier*, allaient accomplir une union bénie le jour même. La Foudre en tombant sur eux aurait interverti leurs sexes.

J'avoue n'ajouter aucune foi à l'histoire de Pline : la confusion des sexes n'a dû être que momentanée.

Peut-être aussi, un simple changement de position fréquent aux époques de décadence a-t-il pu faire illusion au voyeur naïf que fut souvent Pline, surnommé à juste titre le *Jeune.*

L.-C. B.

Post-scriptum n° 2. – À vraiment parler, je signe *lieutenant-colonel,* mais je ne possède pas ce grade. Avec dix ans de plus, quelques campagnes ou actions d'éclat, je le pourrais être. Que n'ai-je, hélas ! suivi la carrière des armes !

L.-C. B.

Il y a tout de même des gens qui en ont, de la santé !

Graves déclarations

À la suite d'un léger malentendu, un de ces légers malentendus comme ces messieurs du Métropolitain en ont tant sur la conscience, avec leur façon d'ellipser leurs indications de station (*Anvers* pour *Square d'Anvers*, *Lyon* pour *Gare de Lyon*, etc., etc.), je me trouvais l'autre jour dans la gare de Rome, de la ville même de Rome, de la Cité Éternelle, alors que, m'assignant un rendez-vous tel pour telle heure, la jeune personne entendait simplement signifier *Rome*, c'est-à-dire la station du chemin de fer métropolitain correspondant à la rue de Rome, à Paris.

Assez vexé de la mésaventure – mettez-vous à ma place, – je me disposais à reprendre le prochain train vers la France, quand l'idée me vint de pousser une petite pointe jusqu'au Vatican.

Je ne connais que fort superficiellement le pape actuel, mais avec Merry del Val, on est des vieux copains.

Merry del Val justement n'était pas là ; heureusement un muletier secret, que j'ai connu dans le temps chez Fernando et qui – le brave garçon ! – ne s'en montre pas plus fier pour ça, se mit très volontiers à ma disposition et un quart d'heure à peine s'écoulait que, la main tendue, le souverain pontife daignait me débarrasser de mon sac de voyage et de ma belle ombrelle verte, qu'il mettait bien soigneusement dans un coin, derrière son propre oratoire.

Pie X ne s'exprime pas volontiers en français.

De leur côté, mes parents négligèrent de me pousser dans la langue italienne.

Nous colloquâmes donc en latin.

– *Quid pro tua servitio, fili mi ?* s'informa le Saint-Père.

– *Primo*, répondit son indigne serviteur, *obtenire benedictionem tuam, ensuito, tibi extirpare petitam interviewam.*

– *Interviewam ! Pesto ! Non y vas manu morte, fili mi !*

– *Habeo, ô Supreme Pontifex, maximum culolum. – Devisa mia : « Nihil homini impossibile. Quid non possit facere, laissit. »*

– *Habes bonas ! fili mi, habes bonas !*

Et, disant ces paroles, Pie X riait très fort.

Notre conversation se poursuivit sur ce ton.

Grand parti pris de ma part de ne pas sembler plus que ça épaté de la profession de mon auguste interlocuteur.

De l'autre côté, un grand abandon plein de charme et de séduction, avec, brochant sur le tout, l'ironie décidée d'un qui commence à en avoir assez, de toutes ces histoires-là.

Je crus tout de même bon de manifester le regret de ce que le gouvernement de mon pays se fût si mal conduit à l'égard de l'Administration centrale de l'Église catholique.

– *Sancte Pater, eprouvo maximam hontam videndo Combun persecutare tuam Sacratam Apostolicamque Entreprisam. Combensis attitudo non est digna boni Galli !*

Le successeur de saint Pierre eut un bon sourire et, fatigué, sans doute, de cette longue conversation en latin, n'hésita pas, à l'aide de la langue italienne, devant cette déclaration que me traduisit son muletier secret et dont l'importance n'échappera, je pense, à personne :

Le souverain pontife en a plein le dos (*pleno dorso*) de toutes ces blagues-là !

Il n'a pas recherché la haute situation (*l'alta situazione*) que lui a imposée le dernier concile (*ultimo concilio*). Simple archevêque de Venise (*di Venezia*), il se plaisait beaucoup dans cette ville et ne demandait qu'à y rester.

La profession de pape à Rome constitue une véritable captivité dans le Vatican (*una veritabile captivita nello Vaticano*) peu faite pour un homme comme lui, habitué au grand air et aux balades en gondole (*balada in gondola*).

Si la situation reste tendue à ce point (*tenduta allo questo pointo*), Pie X est parfaitement décidé (*perfettamente decidato*) à envoyer tout faire lanlaire.

Cette évolution n'étant pas de nature, s'attend-il, à le bien faire désormais voir du monde catholique (*del mundo catolico*), le Saint-Père rentrera dans la vie civile (*nella vita civile*).

Ne possédant aucune fortune (*nulla galetta*), et comme il faut bien vivre, Pie X n'hésitera pas une seconde (*una secunda*) et, à défaut de toute autre profession qu'il pourrait accomplir, se fera gondolier (*gondoliero*).

Un ancien pape, gondolier !

Telles sont les graves déclarations que nous avons recueillies de la bouche même du souverain pontife. Quel coup pour la Religion !

À moins, ce qui est fort possible, que nous n'ayons été la proie d'un de ces fumistes comme il en pullule dans les villes d'Italie tant soit peu importantes, et qui se font passer pour chef de l'Église catholique, alors qu'ils n'ont aucun titre à cette flatteuse appellation.

L'inespérée bonne fortune

Il m'est arrivé, voici peu de jours, une fort piquante aventure dont je vais avoir l'avantage de mettre mon élégante clientèle au courant.

Il n'était pas loin de 6 heures, je sortais du Palais où la plaidoirie de mon avocat m'avait si cruellement altéré que je constatai l'urgence d'entrer à la brasserie Dreher et d'y boire un de ces bocks dont elle a seule le secret.

J'étais installé depuis deux minutes quand je me sentis curieusement observé par un grand jeune homme pâle et triste, en face de moi.

Bientôt ce personnage se leva, se dirigea vers moi, et fort poliment :

– Vous plairait-il de m'accorder quelques instants de bienveillante attention ?

– Volontiers, acquiesçai-je.

– Vous me faites l'effet, monsieur, d'un pour qui rien de ce qui est humain ne demeure étranger.

– Je suis cet un.

– Je l'avais bien deviné... Alors vous allez compatir. Voici la chose dépouillée de tout vain artifice : je suis éperdument amoureux d'une jeune fille qui passe tous les soirs vers 6 heures et demie place du Châtelet. Une incoercible timidité m'en prohibe l'abord, et cependant je me suis juré de lui *causer* ce soir comme dit M. Francisque Sarcey dans son ignorance de la langue française.

– Si vous dites un mot de travers, comme dit Chincholle, sur M. Sarcey, je me retire.

– Restez... Alors, j'ai imaginé pour la conquête de la jeune personne en question, un truc vaudevillard et vieux comme le monde, mais qui pourrait d'autant mieux réussir.

– Parlez !

– Quand la jeune fille poindra à l'horizon du boulevard de Sébastropol, je vous la désignerai discrètement ; vous lui emboîterez le pas, vous lui conterez les mille coutumières et stupides fadaises...

À un moment, vous serez insolent... La jeune vierge se rebiffera... C'est alors que j'interviendrai : « Monsieur, m'indignerai-je, je vous prie de laisser mademoiselle tranquille, etc. ! » Le reste ira tout seul.

– Bien imaginé.

– Vous vous retirerez plein d'une confusion apparente. Demain, je vous raconterai le reste, si vous voulez bien me permettre de vous offrir à déjeuner, ici même, sur le coup de midi.

– Entendu.

– Chut !... la voilà !

Elle était en effet très bien, la jeune personne, véritablement très bien.

Une sorte de Cléo de Mérode, avec à la fois plus de candeur et de distinction.

Fidèle au programme, je l'accompagnai : *Mademoiselle, écoutez-moi donc !* et tout ce qui s'ensuit.

Elle ne répondit rien.

Je devins pressant.

Égal mutisme.

Impatienté, je frisai la goujaterie.

Je n'y gagnai qu'à la faire croître en beauté, en candeur, en distinction.

C'est alors que le jeune homme pâle et triste crut devoir intervenir :

– Monsieur, je vous prie de laisser cette jeune fille en paix !

La demoiselle détourna la tête, s'empourpra de colère et, d'une voix enrouée et faubourienne :

– Eh ben ! quoi ? cria-t-elle, il est malade, çui-là ! Qui qui lui prend ?

S'adressant à moi.

– Monsieur, f...ez-lui donc sur la gueule pour y apprendre à se mêler de ce qui le regarde ! En voilà un veau !

J'hésitais à frapper.

– F...ez-lui donc sur la gueule, que je vous dis, à c'daim-là !...

Vous n'êtes donc pas un homme ?

Ma foi, un peu piqué dans mon amour-propre, j'obéis.

Je décochai au jeune homme pâle et triste un formidable coup de poing, qu'il para fort habilement d'ailleurs, avec son œil gauche.

Une heure après cet incident, la délicieuse enfant, véritable vierge de Vermicelli, m'amenait en sa chambrette du boulevard Arago et me prodiguait ses plus ultimes caresses.

Le lendemain à midi, exact au rendez-vous du jeune homme pâle et triste, je me trouvai chez Dreher.

Lui n'y vint pas.

Mesquine rancune ? simple oubli ?

Nouvelles sensations d'Italie

Venise

Oh ! l'humeur vagabonde des nègres !
Voici maintenant que je suis à Venise !

La première chose qui frappe l'odorat du voyageur arrivant à Venise, c'est l'absence totale de parfum de crottin de cheval.

Cette particularité, assez bizarre en apparence, s'explique d'elle-même dès qu'on s'aperçoit, par la pratique, que les seuls modes de locomotion et de véhiculage à Venise sont le *footing* et le *gondoling*, si j'ose ainsi m'exprimer.

Aussi dans les journaux vénitiens, n'hésite-t-on pas à confier la rubrique des accidents de voiture à de vieux reporters pour qui cette occupation constitue une sorte de sinécure, maigrement rétribuée d'ailleurs.

La première chose qui frappe l'ouïe du voyageur arrivant à Venise, c'est le remplacement du bruit de cornes et de grelots cyclistes par les mélancoliques clameurs des gondoliers. (Même raison que plus haut.) Le pittoresque ne fait qu'y gagner.

La première chose qui frappe le tact du voyageur arrivant à Venise, c'est celui du directeur du Grand-Hôtel (l'excellent M. Merli) qui se met en quatre pour m'offrir une chambre donnant sur le canal et de laquelle on découvre un panorama que MM. les administrateurs du Grand-Hôtel de Paris auraient beaucoup de peine à offrir, malgré toute leur bonne volonté, à leur riche clientèle.

La première chose qui frappe le goût du voyageur arrivant à Venise, c'est une exquise glace *tutti frutti* dégustée sur l'une des mille petites tables du célèbre antique café Florian.

La première chose qui frappe l'œil du voyageur arrivant à Venise, c'est le spectacle de l'ami Isnardon, l'excellent baryton de l'Opéra-Comique, et de sa charmante jeune femme, distribuant sans compter du blé de Turquie aux pigeons de la place Saint-Marc.

On cause et je m'instruis.

Pauvre Italie ! en dépit de ton unité conquise au prix de tant de sang (et en particulier du nôtre), seras-tu donc toujours la terre classique des dissensions intestines ?

Des villes, jadis, se combattaient durant des siècles, non sans acharnement.

Des familles rivales empêchaient de se marier entre eux leurs pauvres enfants qui s'aimaient bien, pourtant, et de ce fait beaucoup de jeunes filles en étaient réduites à finir leurs jours dans les étangs voisins.

Des universités, aussi, ne pouvaient se sentir : Galvani travaillait pour embêter Volta ; mais ces luttes-là, messieurs, étaient des luttes fécondes et faisaient faire à la science un de ces pas que l'humanité ne saurait oublier sans ingratitude.

La concurrence italienne d'aujourd'hui n'a pas cette ampleur (vive l'Ampleur !), mais tout de même elle est intéressante.

Il existe à Milan deux éditeurs du musique deux grands éditeurs. Désignons-les par de discrètes initiales : signor Ricordi et signor Sanzogno.

Chacune de ces maisons est tout un monde, un monde de musiciens, de librettistes, d'artistes, d'impresarii, etc.

Dire que la plus franche cordialité règne entre ces deux groupes serait offenser la vérité.

C'est à qui fera à l'autre la meilleure blague.

Ailtsi, M. Ricordi apprenant un jour que M. Leoncavallo, l'auteur si populaire des *Pagliacci* et qui s'édite chez M. Sonzogno, travaillait à une *Bohème* tirée de Mürger, en commanda immédiatement une autre à son compositeur favori, M. Puccini.

Ce dernier se mit à l'ouvrage avec une *furia italiana* considérable ; de mauvaises langues prétendent même que, pour en avoir plutôt fini, il se fit donner un coup de main par les camarades. (Moi, je ne le crois pas.)

Bref, sa *Bohème* à lui, Puccini, fut écrite, répétée et jouée dans toute l'Italie en moins de temps qu'il n'en faut pour l'écrire.

Sans autrement s'effarer de cette trombe, mon Leoncavallo achevait tranquillement sa petite Bohème à lui, et c'est elle qu'on représentait, l'autre soir, dans ce merveilleux théâtre de la Fenice, à

Venise.

J'ai assisté à bien des triomphes, mais je n'ai jamais rien vu de pareil.

L'enthousiasme, d'ailleurs, se panachait, pour les Français présents, d'un comique irrésistible.

Solvant en cela l'usage italien, le maestro Leoncavallo, dans la coulisse, tout prêt à accourir au premier appel (prononcez *rappel*), sortait, tel un diable d'une boîte, tantôt de la salle de billard du café Momus, tantôt de la loge de concierge du deuxième acte, tantôt d'ailleurs.

Notez qu'il y eut, au cours de cette représentation, une vingtaine de rappels, sans compter les sept ou huit de la fin.

Isnardon, la joie de cette pièce, a composé un Schaunard extraordinaire. Si, du haut du ciel, sa demeure dernière, le bon Murger n'est pas content, c'est qu'il est bigrement difficile.

Le revers de la médaille d'un si gros succès, c'est l'obsession de tous les airs immédiatement gravés dans la mémoire des Vénitiens.

On ne peut plus faire un pas sans entendre fredonner un fragment de *La Bohème,* surtout les couplets, ravissants heureusement, de Mimi Pinson :

Mimi Pinson, la biondinetta,

La biondinetta.

Les gens d'ici prononcent : *Mimi Pinn-sonn,* ce qui ajoute beaucoup de pittoresque à la chose.

Bref un succès qui n'est pas dans une musette... ni, d'ailleurs, dans une Mimi Pinson.

Venise

La cour d'une maison que j'habitais autrefois était régulièrement, chaque dimanche matin, visitée par un homme âgé qui, s'accompanant d'une guitare aphone et mal accordée, chantait - de quel organe ! - une vieille romance dont le refrain commençait par ces mots :

Ah ! que Venise est belle !

Ce vieillard chantait faux, mais il disait juste.

Impossible, en effet, de rêver quelque chose de plus beau que cette Venise adorable et superbe !

Jusqu'à présent, je m'étais toujours farouchement refusé à croire à l'existence réelle et géographique de Venise.

Maman m'avait si souvent endormi, tout petit, avec le *Chant des gondoliers*, j'en avais tant lu dans les romans, tant entendu dans les opéras, tant contemplé sur les dessus de boîte en nacre que Venise demeurait pour moi cité de songe.

Ce n'est qu'à la gare même et devant un employé de l'octroi (habiter Venise et être employé de l'octroi !) que mes convictions s'ébranlèrent un peu.

EI quand un *facchino* eut embarqué mon bagage dans une gondole et que j'y fus installé moi-même, avec pas plus de fantaisie qu'on n'en met à monter en fiacre, alors seulement je consentis à faire entrer Venise dans le domaine de la réalité.

Mais quelle réalité ! Et que de rêves gagneraient à ressembler à ces *contingences*, comme dit Bauër !...

... Non seulement Venise existe, mais elle est habitée, pas uniquement par des peintres et des Cook's touristes, mais encore par de vrais Vénitiens et des Vénitiennes authentiques ces dernières plus jolies que nul ne saurait se l'imaginer et portant encore, en grande quantité, des chevelures de ce blond particulier qu'affectionnait notre regretté Titien.

... Contrairement à une croyance généralement répandue, le Français, pour peu qu'il prenne la précaution de ne point venir au moment des événements d'Aigues-Mortes, est cordialement reçu en Italie.

Ainsi, moi qui vous parle, depuis huit jours que je suis à Venise, je compte déjà une foule d'amis, entre autres un brave garçon qu'on surnommait *Molto Naso* et qu'on appelle maintenant *Nib de Blair* pour me faire plaisir.

L'hostilité franco-italienne se montre surtout dans de petits détails sans importance et plutôt gais, comme, par exemple, le placement de la lettre *h* dans les mots.

Les Italiens emploient l'*h* autant que nous, mais jamais vous n'arriverez à les persuader de placer cette lettre dans les mêmes mots que nous.

Ainsi nous écrivons : *chocolat* ; eux écrivent : *ciocolatto.*

Par contre, ils écrivent *chilogrammo* quand nous mettons *kilogramme.*

Plus fort ! dans le mot *hygiénique*, nous plaçons l'*h* en tête du mot ; eux, écrivent : *igieniche.*

Ce sont là menues taquineries auxquelles on aurait bien tort de s'arrêter. Un petit travail de tassement remettra tout en place et bientôt, j'espère, nous marcherons tous, les Latins, la main dans la main. Nous plaisantons volontiers les Anglais qui voyagent chez nous, mais j'ai bien peur que les étrangers, ceux qui jugent la France d'après certains échantillons de touristes français, n'aient pas de notre intellectualité une bien flatteuse opinion.

On n'a pas idée de la gourderie de quelques-uns de ces êtres, de leur incompréhension hermétique, mais universelle, et de la stupidité agaçante de cet éternel ricanement devant les plus belles choses.

Ce travers des Français en balade s'aggrave du besoin de parler assez haut pour que pas un voisin ne perde un mot.

Et dans cet immense joyau qui s'appelle la cour du Palais ducal, on entend un gros monsieur qui dit à sa femme :

– Fallait-il que ces gens aient du temps à perdre !

– Du temps... et de l'argent, complète la femelle en haussant les épaules.

Venise

(*Suite*)

On voudra bien excuser la légère – mais si lëgitime ! – stupeur que je ressentis en apercevant, hier soir, cette inscription placée au-dessus d'une porte dans la gare de Venise, où j'attendais mon ami Maurice Donnay.

Merci celeri

Me croira qui veut, mais cet hommage public rendu à un simple végétal me toucha plus que bien des manifestations imposantes.

L'origine de ce culte m'échappe. Sans doute le céleri a-t-il sauvé des populations entières au cours de cruelles épidémies, ou bien ne fauft-il voir dans ce curieux fanatisme qu'un vieux restant de la superstition païenne.

À moins – je donne cette explication pour ce qu'elle vaut – que les fameuses oies qui sauvèrent le Capitole n'aient dû leur extrême vigilance qu'à une nourriture où le céleri entrait pour une large part.

N'importe ! il est touchant de voir toute une puissante nation comme l'Italie rendre d'aussi éclatants hommages à un humble légume.

... Si les Italiens ont la reconnaissance solide, ils n'oublient pas non plus leurs petites rancunes.

Ainsi il y a une station, un peu avant Modane, qui s'appelle *Salbertrand.*

Je ne doute pas une minute que cette bourgade n'ait été baptisée ainsi en souvenir de mauvaises plaisanteries qu'y aurait perpétrées l'éminent ingénieur Maurice Bertrand, au temps jadis qu'il était si peu sérieux.

J'ai la nostalgie du cheval.

Non pas que je sois un fervent écuyer, mais voici dix grands jours que je n'aperçus l'ombre du plus pâle canasson !

J'en excepte, bien entendu, les quatre chevaux du portique de l'église Saint-Marc, lesquels, entre nous, se trouvent là un peu comme des chevaux... sur la soupe, dirait Willy.

Enfin, ça fait toujours mieux que des bicyclettes.

On m'assure qu'afin de conserver à Venise un caractère tout à fait romantique, des jeunes gens de la ville touchent un petit traitement du *municipe* pour avoir des têtes de l'époque et faire de l'œil aux dames anglo-saxonnes.

Il arrive parfois que ce chiqué est couronné d'un rapide succès.

On m'a même cité un récent et millionnaire mariage accompli dans ces conditions.

Il y a dans l'hôtel une jeune fille qui commence à la trouver mauvaise.

Débarquée ici depuis huit jours avec son père, elle n'a pas encore pu mettre le pied dehors.

Son brave homme de papa, enchanté d'avoir une chambre dont les fenêtres donnent sur le Grand Canal, s'est immédiatement procuré un attirail de pêcheur à la ligne et, depuis ce moment, c'est à peine si on peut le décider à descendre pour prendre ses repas.

Pauvre jaune fille !

Dimanche matin.

Arrivés depuis hier soir, un monsieur et une dame, bons petits bourgeois parisiens, devisent en se promenant par les rues.

– C'est épatant, remarque la dame, comme on est dévot à Venise !

– À quoi vois-tu cela ?

– Eh bien ! tous ces gens qui vont à l'église ou qui en reviennent avec leur livre de messe à la main.

– Espèce de gourde, tu ne vois donc pas que ce sont des Anglais avec leur Baedeker !

Venise

(*Suite*)

Dans mon ignorance de la langue italienne, je me suis livré, hier, hier aux plaisanteries les plus niaises sur cette inscription : *Merci celeri* qu'on rencontre dans beaucoup de gares de ce pays.

Réduisons l'incident à ses justes dimensions :

Merci celeri signifie *Marchandises en grande vitesse* et rien de plus.

Voila ce que c'est que de causer sans savoir.

Les Vénitiens sont très fiers de leur ville, ce en quoi je les approuve ; mais leur culte arrive à tomber dans le domaine du particularisme.

Exemple, ce bout de dialogue entre moi et un jeune Vénète qui nous accompagne quelquefois :

– Quelle est cette église ?

– San Moisè.

– Jolie ?

– *Oh non ! elle est vilaine... Elle est autant ridicoule que toutes les celles-là qu'il est à Rome.*

Le roi de Siam vient d'arriver à Venise dans son propre yacht. S.A.R, le duc de Gênes est allé au-devant de lui, également dans son propre yacht.

Des deux côtés, on a tiré des coups de canon sans compter ; ah ! on voit bien que ce ne sont pas ces messieurs qui paient la poudre.

Pour comble de plaisir, un grand croiseur américain qui se trouve là, le *Minneapolis*, s'est mis de la partie et a tiré autant de coups, à lui tout seul, que les deux réunis.

Les pauvres pigeons de Saint-Marc, complètement abrutis, tournoyaient dans un vol de démence.

À propos des pigeons de Saint-Marc, j'ai tenu à m'assurer par moi-même qu'elle était vraie la légende qui dit ces volatiles inviolables et sacrés pour tout Vénitien.

Jamais, dit-on, fût-ce aux temps de siège et de famine, un pigeon ne connut, à Venise, les affres de la moindre casserole.

C'est vrai.

Mon expérience consiste en une poignée de petits pois jetée sur les dalles en guise de maïs.

Un peu étonnés d'abord de cette alimentation nouvelle, les gracieux volatiles se gorgèrent bientôt de mes *piselli*, sans manifester la plus petite horreur personnelle ou atavique.

Essayez ce sport en France, et vous verrez le lamentable tire-d'aile.

Le roi de Siam s'appelle Chulalongkorn. Âgé d'une quarantaine d'années, il porte toute sa barbe et ses cheveux taillés à l'eur-péenne.

C'est un garçon fort mal élevé qui, au théâtre, parle tout haut pendant qu'on chante et rit très fort aux moments les plus pathétiques.

À plusieurs reprises, le public n'a pas craint d'exprimer son mécontentement par des *Chut !* répétés.

S.M. Chulalongkorn, d'un air courroucé, fronça les sourcils et S.A.R. le duc de Gênes, qui l'accompagnait, semblait en éprouver une très vive.

Pendant un entracte, Donnay et moi nous avons fait connaissance d'un grand personnage de la suite du roi.

Ce noble Siamois parle assez couramment français, mais avec un fort accent belge.

Ne croyez pas que je ris ; c'est la pure vérité.

Le fait est d'autant moins invraisemblable qu'à Bangkok, paraît-il, ce sont les Belges qui détiennent toute suprématie.

On affirme même que nos excellents voisins profitent de leurs avantages pour exciter la cour de Siam contre l'Europe en général et la France en particulier.

Ce n'est pas moi qui leur donnerai tort, car, à leur place, j'en ferais autant.

Entendu ce colloque entre touristes bien parisiens :

– Alors, vous partez ?

– Mais oui... Nous sommes ici depuis quatre jours, c'est plus qu'il n'en faut pour tout voir (*sic*).

– Vous vous êtes bien amusés ?

– Oh ! ça, non ! Je trouve Venise d'un triste !

– Vraiment ?

– Oui... on a tout le temps l'air de se promener dans des inondations.

Venise

(*Suite*)

Passé quarante-huit heures à Chioggia, île antique et délicieuse de laquelle on rayonne en barque vers mille îlots des plus curieux.

Entièrement ruiné par une excessive diffusion de petits sous distribués à tous les *bambini* et à toutes les *piccole* des pêcheurs de l'Adriatique.

Rentré à Venise par un coucher de soleil à rendre fou d'attendrissement le plus barbare.

Oh ! ces voiles orange ! Je commence à m'expliquer comment le père Ziem a vu ce pays.

Petite scène de la vie de touriste.

Ils sont trois, attablés dans une salle du café Florian : le père, la mère et un grand dadais d'une quinzaine d'années.

Ils font leur correspondance.

Le père écrit et dicte en même temps, les deux autres transcrivent docilement.

Le fils écrit à *mon cher bon papa* et la mère à *chère rnadame et amie,* le monsieur à je ne sais qui.

C'est le même texte qui sert pour ces trois différents destinataires.

Ne se fiant pas à ses seuls souvenirs, l'homme s'aide entre-temps d'un petit guide idiot qui s'appelle : *Une semaine à Venise.*

À un moment, il dicte :

Hier, nous avons été voir les vieilles procuraties.

La dame lève la tête vivement :

– Les vieilles... quoi ?

– Les vieilles procuraties.

– Qu'est-ce que c'est que ces horreurs-là ?

L'homme lui lit le passage du guide où il est expliqué que les vieilles procuraties sont les anciennes demeures des procurateurs.

Mais la dame ne veut rien savoir.

– Jamais je n'écrirai ça !

– Pourquoi ?

– Je ne sais pas, mais *vieilles procuraties*, ça sonne si mal ce mot-là !

Va donc, eh ! vieille procuratie !

On a occasion de rencontrer en voyage des types bien extraordinaires.

Il y avait ces jours-ci, au Grand-Hôtel, un monsieur et une dame d'un certain âge et d'une évidente respectabilité.

Ces deux bonnes gens voyagent avec deux draps de lit, leurs taies d'oreiller, leurs serviettes de toilette et de table.

Ils ne se nourrissent que d'œufs à la coque et de viande grillée. Et encore, le morceau de viande, ils ne le mangent qu'après avoir rejeté les parties extérieures qui auraient pu être souillées par un contact.

En se mettant à table, ils essuient assiettes, verres, couverts, etc., avec des feuilles d'un papier japonais préalablement aseptisé, et qui ne les quine jamais.

Et il faut les voir frotter tout leur petit matériel !

Et avec cela, un mutisme rigoureux, continu, farouche.

Ce monsieur et cette dame mangent sans desserrer les dents ! (C'est une manière de dire, bien entendu.)

Je comprends à la rigueur l'exagération de ces précautions hygiéniques, mais pourquoi ce silence absolu ?

Donnay m'offre cette explication, assez ingénieuse, ma foi :

– Ces gens-là ne parlent pas parce qu'il leur dégoûte d'employer des mots qui ont servi à d'autres sans pouvoir les essuyer avec un petit morceau de papier.

Il y a tout de même des gens bizarres dans la vie !

Venise

(*Suite et fin*)

Le soir, avant dîner, des fois, nous allons au Lido.

Non pas que ce soit joli, joli, car ce serait plutôt décevant et contradictoire avec la vieille idée romanesque qu'on s'en fait volontiers ; mais la mer y est fort belle et le casino joyeux.

Et puis, on y voit des chevaux !

Cinq chevaux : quatre au service du petit train qui traverse l'île et sa largeur, de la largeur de l'Adriatique.

Le cinquième, évidemment sorti des écuries de l'Apocalypse, s'adonne à la remorque d'un stupéfiant véhicule, curieux spécimen de la carrosserie du XVII siècle.

Les bébés vénitiens contemplent ces coursiers de l'air ahuri que prennent les tout petits de France à la première vue d'un ornithorynque.

Ce Lido s'émaille de mille guinguettes fertiles en prospectus bizarres.

L'une, entre autres, au Lion de saint Marc, arbore ces lignes dont je respecte l'orthographe :

Fou récomandable à M. les Étrangers e Citoyens.

Toute sorte de crustacés.

Bierre de Vienne.

Vins relatifs.

Vins relatifs !

Nous ne sommes pas entrés.

Fait connaissance avec deux jeunes Anglais qui reviennent de Grèce, où ils ont servi dans la légion philhellène.

Tous les deux ont sérieusement écopé, l'un à la jambe, l'autre à la tête et au bras.

Leur philhellénisme semble avoir subi une notable dépression, et ils parlent, si la guerre continue quand ils seront guéris, de reprendre du service.

Mais, cette fais, du côté des Turcs.

Quelques garibaldiens, de retour en Italie, tiennent le même langage.

Le peuple-martyr ne gagne pas, paraît-il, à être vu de près.

Le bruit, faux heureusement, a couru de la mort d'Amilcare Cipriani.

Je me réjouis que ce brave ami ne soit que blessé.

Ce soir, le mardi gras, je me souviens qu'il partit pour Marseille, je filais sur Gênes. Nous dinâmes ensemble au buffet de la gare, et ce repas fut égayé par mille lazzi du docteur Pelet qui avait tenu à faire enregistrer mes bagages lui-même.

Une bien jolie phrase cueillie dans le Baedeker :

Quand la gondole aborde, on voit s'approcher un offrcieux avec une gaffe au moyen de laquelle il facilite le débarquement. On ne lui doit rien, ruais il est déjà content avec deux ou trois centimes. (Sic.)

La Gaffe de l'officieux ! un joli titre pour un petit acte. Le faisons-nous ?

Touristes.

Nous côtoyons fréquemment, dans les églises et les musées, une copieuse famille composée, par moitiés à peu près égales, de gens de Paris et d'habitants de Chartres.

Ces amateurs mettent à leurs visites une conscience étonnamment scrupuleuse.

Quand ils s'aperçoivent qu'ils ont oublié un tabernacle ou une *Descente de croix*, ils retraversent le monument entier.

Un Titien les fit pâmer.

Par contre, Tiepolo ne sut point conquérir leurs suffrages.

– En voilà un, disent-ils, qui ne s'est pas ruiné en couleurs !

Une courte conversation, hier soir, à l'hôtel, nous révéla que dans cette artistique famille les Parisiens n'avaient jamais fichu les pieds au Louvre et que ceux de Chartres ne se souvenaient pas d'avoir jeté sur leur cathédrale un regard de plus de trois secondes.

Appréciation d'une dame de Rouen :

– Venise, en somme, c'est Pont-Audemer en plus grand.

Le plus comique, c'est qu'il y a un peu de ça.

Et maintenant, adieu les gondoles, au revoir plutôt, car on reviendra, ô Venise enchanteresse, si belle qu'on oublie les Anglais mal élevés, les Allemands grossiers et les Français idiots qui l'obstruent !

Last Christmas

Je ne vous demande pas où vous avez passé la nuit de Noël.

D'abord, je suis trop bien élevé pour m'ingérer dans ce qui ne me regarde pas.

Et ensuite - je vous en fais juge - qu'est-ce que ça peut bien me f..., l'endroit où vous avez passé la nuit de Noël, en admettant même que ce soit là où vous l'ayez passée !

M. votre serviteur, qui n'a pas vos raisons obliquement boueuses de dissimuler ses actes, se sent tout disposé à vous raconter, non pas par le menu, sa nuit de Noël, mais tout au moins un incident fort comique relatif à cette nocturne solennité, incident assez comique pour l'égayer, croit-il, juqu'au seuil de son froid sépulcre, laps, d'ailleurs, peu démesuré.

La paroisse de Balaguier (Var) possède à sa tête l'un des plus sympathiques ecclésiastiques de tout le diocèse de Fréjus, l'excellent curé-doyen M. La Sinse.

Bien que divergeant fort sur le tapis de la question religieuse (l'auteur de ces lignes poussant la dévotion jusqu'au mysticisme et M. l'abbé La Sinse ne croyant ni à Dieu ni à Diable), l'auteur de ces lignes et M. l'abbé La Sinse s'entendent à merveille sur les points les plus importants de l'existence, notamment, pour ne citer que celui-là, la façon dont un honnête homme doit s'y prendre pour accomplir une bouillabaisse véritablement digne de ce nom, ou tout au moins les établissements vers lesquels il sied de se diriger afin d'y déguster, dans les plus sublimes conditions possibles, cette divine ratatouille.

Quand on s'entend sur ces questions-là, voyez-vous, on n'est pas bien loin de tomber d'accord sur tout le reste.

Il fut donc convenu que certains mauvais sujets de notre promotion, dont M. votre serviteur, assisteraient à la messe de minuit en l'église de Balaguier, après quoi tout le monde, y compris le brave curé-doyen La Sinse, prendrait la direction de la vieille chapelle, depuis longtemps laïcisée, de Notre-Dame-de-la-Bouillabaisse, desservie par le père Louis, moine hilare qui se rit des foudres du père Combes.

La messe de minuit à Balaguier revêtait ce jour-là, si j'ose ainsi dire, un caractère assez sensationnel.

Songez donc ! Grâce à la générosité du député de l'endroit, M. Louis Martin, l'abbé La Sinse avait pu acquérir, pour sa crèche, un joli petit enfant Jésus en plâtre, tout blanc, tout blond, tout rose, un petit Jésus auquel il ne manquait, vraiment, que la parole, la douce parole du petit Jésus.

Oui, mais voilà ! patatras.

Oh ! oui, patatras !

Et faut-il, mon cher Audiffren, que dans votre personnel, si bien séligé pourtant, se rencontrent des matelots assez peu soigneux pour débarquer avec autant de violence de sacrés colis, ou, pour plus dignement m'exprimer, des colis sacrés à l'adresse de M. le curé-doyen La Sinse.

Bref, le cadeau de M. Louis Martin parvint sinon en miettes, du moins, ce qui ne vaut guère mieux, centuplement fragmenté.

Le désespoir de l'abbé La Sinse commençait à échapper à toute description (« Ma crèche ! ma crèche ! » ne cessait-il de clangorer), quand son premier chantre, le brave Marius Cayol, eut une inspiration de génie :

– Ne pleurez plus, nous remplacerons le *santon* par un vrai *pitchoun*, le mien.

Oui, mais repatatras !

– Non, fit Mme Marius Cayol, tu ne vas pas m'enrhumer le petit.

Et Marius Cayol, qui n'a qu'une parole, se vit forcé de remplacer son enfant promis par – on prend ce qu'on trouve – la petite fille de Baptistin Codur, le jardinier voisin.

La petite fille de Baptistin Codur sembla, dès le début de cet exercice, y goûter le plus vif divertissement, mais, jugeant sans doute que les meilleures blagues appellent une fin proche, elle se démena bientôt si fort dans sa crèche que ce ne fut, par l'église de Balaguier, qu'une tumultueuse traînée de poudre.

– Le petit Jésus est une *pitchounette !*

Les Oeuvres, elles-mêmes, de l'abbé Loisy ne causèrent jamais par le monde catholique un tel scandale !

Scandale – ne moisissons pas à l'ajouter – doublé d'une allégresse sans bornes !

– Le petit Jésus est une *pitchounette !*

... Cependant qu'affolé, perdant la tête, le touchant abbé La Sinse accourait de la sacristie, avec, en ses doigts, un fragment – et non le moins intéressant – du plâtre brisé.

– *Mettès li lou bout !* s'écriait-il en provençal. *Mettès li lou bout !*

On riait ! On riait !

J'ai pensé que le docteur Raphaël Dubois a en ferait une maladie.

Leçons de bêtes

On pourrait difficilement se faire une idée de la quantité de relations – parfois brillantes – que je me crée en chemin de fer.

Mon truc est des plus simples, et je ne saurais trop le recommander aux amateurs : le sourire aux lèvres, je commence par rendre à celui de mes co-compartimentaux que j'ai visé, un de ces mille petits services dont l'occasion se présente si facilement à personnes voyageant de concert, puis, la conversation s'étant engagée, si banal que soit le colloque, j'ai vite fait de découvrir la mentalité de mon bonhomme ou de ma bonne femme, et lui donne aussitôt la réplique en abondant, en surabondant dans son sens, en amplifiant son opinion, en m'appliquant à fournir de lapidaires formules aux visions parfois confuses de mon provisoire et souvent médiocre compagnon.

S'imaginant que je pense exactement comme lui, ce dernier me prend aussitôt pour un garçon véritablement remarquable et me voue, neuf fois sur dix, une sympathie qui ne demande qu'à s'exercer.

... C'est de la sorte que je connus, voici quelques jours, un long vieux monsieur, qui s'appelle le baron Groleau de la Lotterie, et son petit-fils, un galopin d'une douzaine d'années, mais fort laid.

Les oreilles, d'abord, de cet enfant, avaient attiré mon attention : d'une superficie fort au-dessus de la moyenne (le double environ), ces appendices auditifs semblaient orientés de façon à ne perdre, en d'importantes régates, la moindre parcelle d'un excellent vent arrière.

Je fus même légèrement inquiet, en constatant chez les oreilles du môme, l'absence du moindre dispositif permettant d'y prendre un ris ou deux, au cas où la brise viendrait à fraîchir brusquement.

... Au bout de peu d'instants, le baron Groleau de la Lotterie me disait :

– Ce jeune garçon est mon petit-fils, que ses parents veulent bien me confier pendant le mois de septembre jusqu'à la rentrée des classes.

– Il me semble fort intelligent et de bonnes manières.

– Il chasse de race : les Groleau ont toujours été réputés pour leur grand esprit, et cela, cher monsieur, ne date pas d'aujourd'hui, car certains mémoires du temps signalent la présence d'un chevalier de la Lotterie, non pas seulement à la soi-disant première croisade, mais à une petite croisade qui précéda celle-là et que les historiens, mal renseignés, passent généralement sous silence.

– Comme qui dirait une répétition générale.

– Ce qui ne m'empêche pas, poursuivit le baron, d'avoir des idées, tout ce qu'il y a de plus modernes, sur toutes choses, et principalement sur l'éducation des enfants.

– Vous n'en avez que plus de mérite, monsieur le baron.

– Oui, j'ai imaginé pour mon petit-fils un système dont je suis particulièrement satisfait : au lieu de ces fameuses leçons de choses, dont les pédants nous rebattent les oreilles, j'emploie les leçons de bêtes.

– Ah ! ah ! souris-je servilement, très bien ! très bien ! monsieur le baron, très bien !

– Voici comment je procède : ayant remarqué que tous les animaux ont chacun leurs vices, je les punis, en présence de mon petit-fils, par où ils ont coutume de pécher. Ainsi, j'ai un âne qui s'était mis dans la tête de ne pas franchir un petit ruisseau dans ma propriété ? Qu'ai-je fait ? J'accrochai un fort palan dans un arbre, je hisse mon baudet et le dépose malgré lui de l'autre côté du ruisseau, et cela, cher monsieur, pendant des heures entières !

– Fort ingénieux !

– J'ai des paons magnifiques, dans mon parc, eh bien ! la queue de ces orgueilleux volatiles est enfermée dans une gaine de toile grise, qui ne les quitte jamais... Je t'en ficherai, moi, de la vanité !...

– Parfait !

– C'est comme pour les lézards. Connaissez-vous pareils fainéants ? Aussi, tous les jours, au moment où ils sont endormis au soleil, j'en attrape le plus que je peux, et les introduis dans ces petites cages tournantes semblables, mais en plus petit, à celles où l'on met des écureuils, et il faut bien, bon gré mal gré, qu'ils tournent, et qu'ils tournent, les paresseux, pendant deux ou trois heures ! Après quoi, je les remets en liberté.

– Vous êtes encore bien bon de les lâcher, ces ignobles flemmards !

– Le malheur c'était que, affublés par la nature d'une carapace gris-bleuté, dont le ton se confondait avec celui de nos vieux murs, ils étaient assez malaisés à capturer. Alors, il m'est venu une idée de génie : j'ai fait badigeonner toutes les murailles, tous les rochers même, d'un enduit rouge brique, sur lequel ils sont maintenant beaucoup plus visibles... Faites-moi donc, cher monsieur, l'amitié de venir visiter mon château ; je vous montrerai tout cela par le menu. C'est fort curieux.

Je n'aurai garde de manquer si gracieuse invitation.

Il ne faut faire aux microbes nulle peine, même légère

Dans l'humble crémerie où je prends chaque jour mon modeste repas du matin, je venais de commander poliment au garçon mes deux coutumiers œufs à la coque lorsque, brusquement, un grand jeune homme blond d'aspect fort doux et même timide, qui se trouvait à la table voisine de la mienne, se leva, et sans dire un mot, me décocha, dans la région du cœur, un coup de revolver.

Heureusement, soit que ce pistolet fût de fabrication inférieure, soit que les munitions dont il était chargé appartenaient au genre camelote, la balle, sans pénétrer dans mon organisme, se heurta sur l'une de mes côtes (que j'ai fort dures) et ne me détermina qu'une violente contusion.

Comme, néanmoins, du sang coulait, je résolus, sans perdre mon temps en oiseuses récriminations, à m'en fure chez le pharmacien le plus proche.

Avec un dévouement auquel je tiens à rendre un hommage public, le brave potard s'empressa d'abord d'étancher ma plaie, mais une fâcheuse tendance qu'il a vers le calembour lui faisait répéter à chaque instant la phrase suivante d'un goût douteux :

– Je suis un type dans le genre de Pascal : je panse, donc j'essuie !

... Cependant, mon meurtrier, ce grand jeune homme blond d'aspect fort doux et même timide, m'avait accompagné chez le pharmacien auquel, même, il rendait quelques menus services pendant mon pansement.

Quand ce dernier fut terminé, nous regagnâmes, l'assassin et moi, notre commune crémerie où nous déjeunâmes du meilleur appétit du globe, car tout cela, n'est-ce pas, nous avait creusés.

– M'expliquerez-vous, dis-je au jeune homme, le mobile qui vous poussa, cher monsieur, à cet acte de violence.

– Volontiers !... De même, cher monsieur, que cet imbécile de pharmacien de tout à l'heure qui se trouvait un type dans le genre de Pascal parce qu'il pansait donc il essuyait, de même moi, je suis un type dans le genre de cet étudiant suédois qui tira, en son amour des bêtes, un coup de pistolet, voici quelques semaines, sur un toréador.

– Je ne vois pas bien...

– Quand vous avez commandé deux œufs à la coque, je n'ai pu maîtriser... vous savez le reste.

– Mais... les eeufs à la coque, bien que, je le confesse, d'origine organique, ne sont doués, je pense, d'aucune sensibilité.

– Aussi, n'est-ce point eux que je plains en telle circonstance, mais bien les millions de petits êtres microscopiques, et même ultramicroscopiques qui, joyeusement, sans penser à mal, s'ébattent dans l'eau et que soudain vous portez à des températures auxquelles leur éducation ne les a pas préparés, et que leur complexion ne saurait tolérer. Or, on ne prépare pas les eeufs à la coque sans faire bouillir de l'eau.

– Vous avez peut-être raison.

– J'ai sûrement raison... S'apitoyer sur les souffrances d'un taureau part d'une bonne âme, mais un taureau n'est jamais qu'un taureau, cher monsieur, et quand vous confectionnez une simple tasse de camomille, vous créez de la douleur, de la torture comme jamais ne pourront comporter les arènes du monde entier pendant plusieurs siècles réunis.

– C'est horrible à penser, mais le remède à cela ?

– Il est bien simple : quand les circonstances de la vie vous forcent à bouillir de l'eau, ajoutez-y une forte portion de cocaïne. La cocaïne abolit chez les microbes toute sensibilité...

J'ai suivi les conseils du jeune homme et voilà pourquoi les personnes qui me font l'honneur de dîner chez moi trouvent aux aliments un drôle de goût et sortent de chez moi en proie à d'indéfinissables malaises.

Morte-saison

C'est par une des plus chaudes journées de cet été, si fertile, pourtant, en torridités de toutes sortes.

On résolut de prendre le café dans l'ajoupa qui donne sur le petit chemin, derrière le parc, à l'ombre exquise des glycérines.

(Pendant tout l'été, j'ai dit *glycérine*, au lieu de *glycine :* ce fut mon passe-temps favori.)

La conversation prit différents tours, médical d'abord, grâce au docteur Merrymoon, qui nous mit au courant de cette nouvelle industrie chirurgicale fort en usage, paraît-il, dans les villes d'Amérique-Ouest, l'*ovarioplastie*.

Où l'audace des médecins s'arrêtera-t-elle, grand Dieu !

Une femme là-bas est-elle pour une raison ou pour une autre, mécontente de ses organes génitaux, crac ! un petit mot au docteur lequel arrive, muni d'une jeune et robuste négresse de seize ans.

En un tour de main, les ovaires de la riche cliente sont enlevés.

En un autre tour de main, ceux de la négresse.

En un troisième tour de main, ces derniers vont remplacer les premiers.

Le plus curieux, affirme Merrymoon, est que cette greffe réussit neuf fois sur dix et que, grâce à ce subterfuge, d'anciennes femmes stériles mettent au monde d'incomptables bébés.

Qu'en pensez-vous, bon docteur Canu ?

Le coût de l'opération est de 3000 dollars, 2000 pour le chirurgien, 1000 pour la vaillante et dès lors estropiée négresse.

Avis aux amatrices (si j'ose m'exprimer ainsi).

Pour effacer l'impression un peu pénible causée par cette charcuterie transatlantique, le jeune Adolphe prit son banjo et nous chanta, sur une musique exquise de Marie Krysinska, une parodie qu'il composa de la célèbre ballade du regretté père Hugo :

Si tu veux faisons un rêve,

Montons sur deux palefrois

Tu m'emmènes, je t'enlève,
L'oiseau chante dans les bois.

ainsi contemporanisée :

Si tu veux faisons un rêve,
Mon tandem à jante en bois,
Dont le pneu jamais ne crève,
Est un ROUXEL ET DUBOIS.

Le jeune Adolphe allait passer au deuxième couplet, quand une voix monta du chemin, une voix qui disait :

– Voilà des messieurs et dames qui boivent de bien bon moka.

L'homme qui avait prononcé ces paroles, nous le regardâmes.

Il s'était arrêté et dardait sur nous un regard suppliant.

Son costume décelait beaucoup plus la purée visqueuse que le luxe criard.

Son chapeau, jadis haut-de-forme, présentait maintenant de frappantes analogies avec l'instrument de musique dit accordéon.

Une redingote, dont la forme s'indécisait autant que la couleur, tombait assez bas sur les tire-bouchons d'un pantalon mer-d'oie, lequel avait bien de la peine à rejoindre la consternation de deux ripatons bâilleurs.

Quant au gilet, peut-être à la suite de bains sulfureux et d'un traitement arsenical des plus sérieux, il n'avait plus un seul bouton.

L'un de nous centralisa quelques pièces blanches qu'il remit à l'homme.

– Merci bien, fit ce dernier, mais n'empêche que voilà des messieurs et dames qui boivent du bien bon moka.

On lui passa une tasse de café, fortement trempée de vieux cognac.

Pendant qu'il le dégustait, visiblement flatté, la belle-mère d'Émile se manifesta sous son jour habituel :

– Vous n'êtes pas honteux de mendier, jeune et vigoureux comme vous êtes !

– Je ne demanderais pas mieux que de travailler, répondit l'homme d'une voix douce et distinguée, mais il n'y a rien à faire pour moi dans ce pays, à ce moment de l'année.

– On trouve toujours à travailler quand on a bonne volonté !

– Pas avec le métier que j'ai, madame.

– L'ouvrage ne manque pas dans les fermes.

– Les travaux agricoles, madame, ne sont point mon apanage. De même qu'un avocat ferait un piètre pédicure, de même je n'entends rien à la géorgique.

– Allons donc !

– Iriez-vous confier la réparation d'une montre de dame à un terrassier ? Non, n'est-ce pas ?... Chacun son métier, et – soit dit sans froisser personne – les vaches seront bien gardées.

– Quelle est donc votre profession ?

– Pour pouvoir exercer mon industrie, madame, il me faudrait aller dans des pays assez lointains. Si ces messieurs et dames consentaient à m'avancer un billet de 1000 francs, je pourrais m'y rendre.

– Que faites-vous donc ?

Alors, l'homme, essuyant son front inondé de sueur, répondit :

– Je suis balayeur de neige.

Conte de Noël

Cela doit paraître singulier aux gens, mais il en est ainsi : d'avérés énergumènes peuvent, non loin de moi, proférer toutes leurs faciles exégèses à propos de notre Sainte Religion, je ne bronche pas, cependant qu'une pauvre petite facétie de rien du tout, jetée à propos de Bonhomme Noël, suffit à me muer en tigre.

Je lui dois gros, au Bonhomme, car, sans lui, où serais-je ? et serais-je seulement ?

C'était en 18... (comme vous voyez, ça ne nous rajeunit pas, ces – hélas ! – histoires du siècle passé).

Je naviguais dans les parages de mes beaux vingt ans, et cela se passait à l'ombre du drapeau, du drapeau français, bien entendu, le seul, d'ailleurs, qui compte, les autres n'étant que bouts d'étoffes cosmopolites.

Ce métier de *grand muet*, pris dès le début par le bon bout, ne comportait rien qui me déplût (la liberté m'ayant toujours semblé bien surfaite, en tant que flatteuse entreprise), quand soudain j'y rencontrai un cheveu, un épisodique cheveu, mais tout de même un sale cheveu.

Pour des raisons dont le temps a de beaucoup atténué la rudesse, je me voyais refuser ma *permission* de Noël.

Comme un malheur n'arrive jamais seul, j'étais commandé *de garde* pour le jour même de la naissance de N.-S.

Et, comme deux malheurs n'arrivent jamais seuls, un de mes tours de faction tombait précisément de minuit à deux heures !

Et où !

À la poudrière, c'est-à-dire au tonnerre de Dieu en personne.

C'était gai.

Mon parti fut bientôt pris, farouche.

– Soit ! m'écriai-je, je réveillonnerai seul ; mais je vous défie de me citer une puissance humaine ou divine qui m'empêchera de réveillonner !

Il faut dire que, dans cette garnison, la poudrière se compose d'une manière de petit magasin à cartouches sis au milieu d'un vaste chantier clos de toutes parts, et tout rempli d'objets plus hétéroclites les uns que les autres, comme dit Paul Leroy-Beaulieu : pavés, madriers, boulets du temps de Turenne, vieilles ardoises, fours de campagne modèle 64, échelles surannées, girouettes exorbitées, brouettes de bien avant Pascal, etc.

... Il fait nuit noire, noire à se croire dans une houillère à Taupin.

Aussi m'empressé-je d'allumer le bout de bougie que j'eus grand soin d'emporter.

Confortablement installé sur un vieux tronc d'arbre insuffisamment équarri, j'étale sur une vermoulue voiture à bras mes pâles – oh ! combien ! – charcuteries, accompagnées d'une bouteille de vin que je n'ai point soldée d'une somme inférieure à 1,25 franc.

Oh ! le morose réveillon !

Le pauvre solitaire pense à sa famille, à tous les siens réunis sous la lampe...

D'autres fois, il pense à ses amis et amies attablés à je ne me rappelle plus quelle brasserie de la rue des Écoles.

Et, dans les deux cas, le pauvre solitaire dégage la pire des barbes.

Soudain, un cri frappe mon tympan : un cri étouffé, un cri comme en émanent les personnes qui désirent, sans créer de vacarme, être entendues de loin :

– Militaire ! Militaire !

La voix vient d'en haut.

Si c'était le petit Jésus ?

– Militaire ! Militaire ! persiste la voix, que je reconnais féminine, voulez-vous bien vous dépêcher d'éteindre votre chandelle !... Vous allez tous nous faire sauter !

J'explique à la voix que nul danger n'existe, que je soupe à la santé du Divin Enfant, par une nuit sans étoiles et sans lune, et qu'alors, dame ! mettez-vous à ma place.

Une autre voix, mâle, celle-là, frappe, au moyen de ce propos, agréablement mes oreilles :

– Si vous tenez absolument à souper, militaire, venez faire le réveillon avec nous... Il y a deux dames et je suis seul homme.

À la vérité, ces voix ne venaient pas du ciel, mais plus simplement d'une fenêtre au premier étage d'une maison donnant sur la cour de la poudrière.

– Ça colle ! acceptai-je avec ma trivialité soldatesque.

Une échelle appliquée au mur, et me voilà devant un joyeux compagnon d'un certain âge, bon ami de l'aînée des deux dames, de sa bonne amie, de la sœur de la bonne amie, d'une dinde truffée et autres bouteilles d'aspect réconfortant.

Ce que j'ai à raconter est de nature assez délicate, mais la vérité avant tout.

La dinde ? les truffes ? le bourgogne ? le champagne ? Je ne sais pas. Mon mérite personnel ? mes beaux vingt ans ? Qui sait ?

Toujours est-il que la sœur de la bonne amie du joyeux compagnon d'un certain âge tint vivement à ne pas me laisser *partir comme ça*.

La dinde ? les truffes ? le bourgogne ? le champagne ? l'amour ? Je ne sais pas.

Mais, ce dont je me souviens, c'est mon hurlement de terreur, mis en sursaut par, dans la chambre voisine, le réveille-matin du joyeux compagnon forcé de prendre le premier train pour rentrer chez lui.

Six heures !

Ah ! j'étais propre !

Abandon de mon poste, conseil de guerre, Biribi !

Ils ont dû enlever l'échelle, les cochons !

Non, l'échelle y est.

Où est-il, le factionnaire, celui dont la stupeur a dû être grande de ne pas trouver, fidèle au poste, son prédécesseur ?

Aucun factionnaire.

La porte du chantier n'a pas été ouverte.

Nulle trace d'escalade !

Alors, quoi ?

Une lueur d'espoir scintille en un petit coin de mon cœur.

Si pour une raison ou pour une autre, on n'était pas venu me *relever* cette nuit ?

Vers minuit et demi, un vieil homme, d'aspect convenable, s'était approché du poste :

– Bonsoir, sergent ! avait-il dit d'une voix si douce !

– Bonsoir, monsieur !

– C'est ce soir la nuit de Noël, la nuit anniversaire de la naissance de notre Divin Sauveur.

– Évidemment.

– Une vieille coutume veut, par toute la chrétienté, qu'on fête ces dates au moyen d'un petit souper.

– Je sais, monsieur ; mais il n'y a pas, hélas ! que dans le service de l'Autriche que le militaire n'est pas riche !

– Sergent, laissez-moi vous offrir, à vous et à vos hommes, un petit réveillon.

La nuit de Noël, qu'est-ce qu'on risque ?

Pas de rondes, pas de patrouilles.

– Ça colle ! décide le sergent avec sa trivialité soldatesque.

Une heure ne s'écoule pas que, sous les tournées répétées du vieux monsieur, tout le personnel du poste, depuis le sergent jusqu'au clairon, ronfle à perdre haleine.

Ils se réveillèrent sur le coup de six heures du matin...

Le vieux monsieur, on ne l'avait jamais vu dans la ville.

On ne l'y rencontra plus jamais.

Dites-moi donc qui c'était, ce monsieur, sinon le Père Noël, le brave bonhomme sans lequel où serais-je aujourd'hui ?

Serais-je seulement ?

L'œuvre pour la retenance à mi-côte des jeunes personnes qui se disposaient à rouler dans le fond de l'abîme

À l'issue du dernier banquet annuel des anciens élèves du séminaire de la Petite-Roquette, nous n'eûmes rien de plus pressé, quelques débauchés de ma promotion et moi-même, que d'aller terminer la soirée dans un établissement choréo-galant des Champs-Élysées, qu'il me paraît superflu de désigner nominativement.

Là, quelle ne fut point ma stupeur en rencontrant, entourée des signes extérieurs les moins contestables de la courtisanerie professionnelle, une jeune fille, si j'ose profaner ce doux terme, que j'avais connue, voilà fort peu d'années, aussi charmante que « sérieuse ».

Nous eûmes bientôt fait de reprendre contact.

Et comme je m'effarouchais quelque peu du regrettable avatar :

– Tout cela, me répondit-elle à peu près en ces termes, c'est la faute à cette vieille garce de société, à sa rigide hypocrisie, à son obtuse entente de l'humanité vraie.

– ? ? ? ? ? nous écarquillâmes-nous à l'envi.

– Eh ! parbleu ! reprit l'enfant, vous autres hommes vous ne comprenez rien à rien et je ne vois pas pourquoi je perdrais un temps, c'est le cas de le dire, précieux, à vous développer une théorie pourtant assez, bon sang de bon D..., simple !

Grâce à une de ces mimiques que les vrais connaisseurs qualifient d'expressives, l'un de nous indiqua clairement à la charmante interlocutrice que, si précieux qu'il pût être, son temps n'était pas perdu.

(Pour parler plus simple, le dégoûtant et adultérin personnage avait glissé dans l'entrebâillis du gant d'Aline un billet de banque plié, replié et rereplié sur lui-même, d'une valeur, au jugé, de cinq louis environ.)

Aline (puisque ce prénom m'échappa, levons l'inutile barrière de l'incognito), Aline commanda d'une voix où ne perçait nulle émotion une autre saint-marceaux.

Et sa théorie d'apparaître à nos yeux :

La perfection n'étant pas de ce monde, comme a dit l'autre, il est risible à la vertu, à la morale, de vouloir se parer d'une irréalisable intégralité.

Risible et fâcheux !

Car, à ne pouvoir demeurer la sainte en diamant, plus d'une se voit contrainte à piquer une tête définitivement dans la noce haïssable.

... Mais revenons aux contingences d'Aline :

« Moi qui vous parle, j'étais modiste, j'adorais mon métier... Combiner des rubans, des plumes, des fanfreluches pour le chapeau des belles madames, ça m'amusait, et l'idée ne m'était jamais venue de me plaindre du sort.

« Un jour – ça serait trop long, les détails –, je fais connaissance d'un brave garçon que je me mets tout de suite à gober comme une folle et qui, lui, m'aimait bien.

« Vous l'avez déjà prévu : l'excellent petit collage !

« Le "hic" – j'abrège – c'est l'arrivée à l'atelier dès huit heures, et la sortie pas avant sept !

« Car lui, libre plus tard que moi le matin, plus tôt le soir !

« Bref – je continue à abréger –, me voilà balancée bientôt de la boîte pour les raisons que vous devinez : l'arrivée le matin en retard et la filée le soir, dès que sonne au beffroi de mon petit cœur la minute où je sens le chéri en bas.

« Eh bien, je vous le demande, tas de poires ! est-ce qu'il ne serait pas possible, est-ce que ça ne serait pas très parisien même, des ateliers de couturières, de modistes et autres, où les pauvres braves petites femmes pourraient s'amener, comme ça, sur le coup de neuf heures et demie et filer vers les cinq heures ?

« Est-ce que ça ne vous saute pas aux yeux ?

« Et moi, je ne serais pas là à faire la Jacque devant tous ces ...-là ! »

(Le mot remplacé par les points indiquait, chez Aline, une amertume qui n'aurait rien perdu à se voir exprimée en termes plus choisis.)

C'est alors que nous formâmes ce projet, mes compagnons de

débauche et moi, de faire appel à quelques industriels parisiens, en vue de fonder la « Ligue de la Journée tronquée », avec ce sous-titre « Œuvre pour la retenance à mi-côte des Jeunes Personnes qui se disposaient à rouler dans le fond de l'abîme. »

Patriotisme et religion

Pauvre et noble Espagne, comme te voilà bas, mais combien tu es courageuse et digne dans ton malheur, et si pleine d'espoir en l'avenir.

J'arrive de ce pays affligé entre tous, et je me déclare plein d'admiration pour le magnifique ressort de l'âme espagnole.

Nous n'avons plus de colonies, disent les hidalgos, eh bien ! tant mieux, c'est autant de dépenses en moins.

Un petit air de guitare là-dessus, et *ollé*.

Les femmes, surtout, sont extraordinaires.

Ce que je vais raconter à ce sujet est à peine croyable, et je m'attends à être, une fois de plus, traité de blagueur.

Imaginez qu'il s'est fondé une confrérie de jeunes filles.

Mais, avant de continuer mon récit, j'invite les parents soucieux de la pureté de pensée de leur progéniture à ne point laisser le présent papier sous les yeux de leurs petites demoiselles. Car, sans entrer autant que je le voudrais en de troublantes techniques, je vais traiter un sujet assez scabreux.

Il y a environ deux mille ans, une jeune Asiatique, fort connue depuis sous le nom de Vierge Marie, manifestait devant qui voulait l'entendre son goût très vif pour le célibat.

Des voix que j'ai tout lieu de croire autorisées, changèrent sa vocation.

Faisant miroiter à ses yeux les intérêts supérieurs de l'humanité en péril, ces voix suggérèrent à la jeune fille que le monde ne pouvait être sauvé que par un fils issu de ses entrailles.

Marie se laissa convaincre.

Elle épousa bientôt un respectueux menuisier du nom de Joseph et, l'année d'après, mettait au monde un fils.

Un respectueux menuisier, ai-je dit. Oui, respectueux, au-delà de toute exagération.

Marie était devenue mère à la suite de l'Opération généralement désignée sous le nom d'Opération du Saint-Esprit.

À la vérité, cette expérience n'était autre chose que ce que nous appelons aujourd'hui la fécondation artificielle, opération parfaitement connue des mages chaldéens de l'époque.

Ce qu'il advint du bébé, vous le savez aussi bien que moi : très intelligent, fort débrouillard, excessivement calé sur une foule de sciences et, ce qui ne gâte rien, charmeur de tout premier ordre ; Jésus-Christ, puisqu'il faut l'appeler par son nom, sauva le monde et fonda une religion, laquelle, à l'heure où nous mettons sous presse, est encore des plus prospères.

Eh bien ! quelques centaines de jeunes filles espagnoles ont voulu prendre modèle sur la Vierge Marie et se sont décidées à créer par le même procédé, et sans péché, une foule de Sauveurs pour l'Espagne.

Un ordre s'est rapidement fondé sous l'invocation de *Notre-Dame de la Natalité*.

Des couvents se bâtissent qui ressemblent à nos plus modernes maisons de maternité.

Et les papas, où va-t-on les chercher, dites-vous, lubriques roquentins ?

Je répondrai aussi brièvement et aussi délicatement que possible. Les pères sont des pères anonymes, auxquels on ne demande qu'à être sains, jeunes et intelligents.

Ils ne connaîtront jamais leurs épouses et leurs épouses ne les connaîtront jamais.

Beaucoup de religieux, des Carmes surtout, coopèrent à cette œuvre de relèvement national avec une abnégation toute virile.

Chacune de ces jeunes filles est persuadée qu'elle est désignée par le ciel comme mère du futur sauveur, et cela est des plus touchant, n'est-il pas vrai ?

Il me fut donné d'assister, dimanche dernier, à la grand-messe dans la chapelle d'un de ces couvents.

Les religieuses sont pour la plupart fort jolies et toutes chantent comme des anges.

Eh bien ! vous direz tout ce que vous voudrez, mais un pays où se passent de telles choses n'est pas un pays fichu, loin de là.

Placer macabre

Bien que familiarisé depuis longtemps avec les audaces et les surprises de l'industrie américaine, ce n'est pas sans une certaine stupeur que je pris connaissance du prospectus trouvé ce matin dans mon courrier des États-Unis.

Je ne crois pas qu'en France nos lois toléreraient une telle entreprise, mais je suis certain que l'indignation publique et le sentiment de la plus élémentaire décence auraient vite fait justice d'un pareil sacrilège.

Imaginez-vous qu'une société vient de se fonder à Cincinnati pour l'achat de tous les vieux cimetières répandus sur la surface de l'Amérique du Nord !

Le prospectus en question énumère les mille profits à tirer de l'exploitation de ces nécropoles.

La spéculation sur les terrains n'est pas, comme on pourrait le croire, le principal facteur dans les bénéfices de l'affaire.

Un vieux cimetière ne se vend pas très cher, mais sa mise en valeur, comme terrain à bâtir, est longue et difficile.

D'abord, on n'y peut construire qu'après le délai de dix ans à partir du jour de sa désaffectation.

Puis, les loyers doivent être, au moins dans les débuts, fort bon marché, car les Américains professent une répugnance bien marquée à s'installer dans les immeubles bâtis sur d'anciens cimetières.

L'affaire se recommande surtout par les profits à tirer de l'exploitation, si j'ose m'exprimer ainsi, des sous-produits, c'est-à-dire des monuments funéraires et des cadavres.

Pour les monuments funéraires, il y a là une source de très gros bénéfices.

Dans presque toutes les villes des États-Unis, les règlements prescrivent que les familles des défunts ont le droit de retirer les corps et les monuments funéraires dans l'année qui suit la désaffectation du cimetière.

Mais, en Amérique, c'est surtout à l'oubli que les morts vont vite, et il est bien rare que les parents des trépassés profitent de leurs funèbres prérogatives.

Les tombeaux, même les plus luxueux, deviennent, au bout d'un an, la propriété de l'acquéreur du terrain.

Or, rien de plus facile que de transformer un vieux tombeau abandonné et moisi en un gracieux monument frais, coquet et des plus alléchants.

Il n'y a qu'à rogner un peu, supprimer les inscriptions, polir et donner ce petit coup de fion auquel excellent les marbriers transtlantiques, tous italiens d'ailleurs.

Quant aux corps, eux aussi offrent d'énormes ressources industrielles.

Brûlés en vase clos, ils fournissent des phosphates très demandés par MM. les producteurs de céréales.

Rien que par les opérations ci-dessus décrites, voilà déjà une industrie des plus rémunératrices.

Mais là où elle devient une affaire d'or (et c'est bien le cas de le dire), c'est quand elle comprend l'extraction de l'or inséré dans les dents aurifiées des pauvres défunts.

Des statistiques sérieusement établies ont démontré qu'en Amérique les mâchoires de mille personnes représentent, au bas mot, trente onces d'or, c'est-à-dire, *grosso modo*, six cents dollars (3000 francs environ), soit 3 francs par personne.

Comme la Compagnie prévoit une exploitation de près de dix millions de corps, il vous est facile de calculer les immenses bénéfices qu'elle est appelée à réaliser, rien que de ce chef.

Ah ! ces diables d'Américains !

Progrès des sciences psychiques

La question de la suggestion, sa théorie, ses manifestations diverses semblent, depuis quelques mois, entrer dans une phase nouvelle et pleine d'inquiétantes promesses.

Pauvres que de nous et combien falot notre organisme !

Cette volonté dont nous nous montrons si fiers, quelque autrui peut nous la subtiliser, la remplacer par la sienne propre et faire de nous un ridicule pantin.

Dont il tire à son gré les burlesques ficelles, disait, pour n'en point perdre l'habitude, notre bon souffreteux François Coppée.

Et pas seulement, vous entendez, les hystériques, les nerveux, les faibles, non, mais, grâce aux modes nouveaux, tout le monde, vous, par exemple, qui faites votre malin, moi qui ricane et cet autre imbécile qui s'en va en haussant les épaules.

La dernière séance à la clinique du docteur B... (ce praticien me supplie provisoirement de lui octroyer l'anonyme) m'a laissé, j'allais dire rêveur, allons plus loin, totalement abruti.

– Afin, commença par nous dire le docteur B... que vous ne m'accusiez pas d'employer pour mes expériences des sujets spécialement entraînés, ou pour mieux dire des compères, c'est sur quelques-uns d'entre vous, messieurs, que je vais opérer, ou, si vous le préférez, sur tels individus inconnus de moi et que vous voudrez bien m'amener ici.

Chacun de nous connaissant les idées parfois *maboulоïdes* du docteur et redoutant la notable portion de ridicule qui ne manque pas de rejaillir sur le *sujet*, nous préférâmes investir quelques autres poires sanctifico-passives.

Notre choix tomba vite sur deux passants par là, braves militaires appartenant à cette infanterie de ligne, reine des batailles, en laquelle notre pauvre France a placé son espoir suprême.

Alléchés par l'horizon de chacun une pièce de cent sous, nos troubades n'hésitèrent point.

Cinq minutes plus tard, leur uniforme mettait sa note rouge et métallique dans l'austérité du cabinet de notre moderne magicien.

Après les passes spéciales et la mise en train hypnotique dont le docteur B... assure être l'inventeur, ce furent tout d'abord des expériences devenues classiques et qu'ont répandues jusqu'au sein des baraques foraines les émules de l'illustre Donato.

Désignant un plein verre d'eau pure :

– Avalez tout ça, mon garçon, commanda le docteur, c'est de l'eau-de-vie très forte.

D'un trait le pauvre diable avala toute la *flotte* et le voilà, instantanément, en proie à la plus manifeste des cuites.

Titubant, chantant, riant, pleurant, cherchant querelle à tout le monde, le militaire se serait vite rendu insupportable, si le docteur, intervenant, un verre de vrai cognac, cette fois, à la main :

– Mon ami, disait-il, vous êtes saoul comme un cochon. Si l'un de vos officiers vous rencontre dans cet état, c'est de la prison. Il faut donc vous dégriser au plus vite. Voici de l'ammoniaque. Absorbez-la d'un seul coup et vous reviendrez à votre état normal.

Aussitôt dit, aussitôt fait.

Le jeune guerrier avala d'un coup le schnik, puis, passant sur son front en sueur sa manche jusqu'alors sans reproche, demanda pardon bien humblement, à toute l'assistance, des propos incongrus et des gestes peu nobles que son récent débordement aurait pu lui occasionner.

Mais cela n'était rien encore.

Le second militaire manifesta quelques difficultés à se mettre en état voulu. Mais quand ça y fut, dame, ça y fut bien, jugez plutôt :

– Tenez, mon ami, fit le docteur, permettez-moi de vous offrir un excellent cigare de La Havane.

L'excellent cigare de La Havane n'était autre d'ailleurs qu'un crayon, un simple crayon comme vous et moi.

– Une allumette, maintenant.

L'allumette, un simple cure-dent.

– Fumez !

Et c'est là que notre stupeur ne connut plus de bornes ou en connut si peu que cela n'est vraiment pas le peine d'en faire mention.

Frottant le cure-dent sur la partie de sa culotte rouge adhérente à la fesse droite, le militaire en tira – ne me croyez pas, cela m'est égal – du feu.

Ce feu, cette petite flamme, il en embrasa le crayon pseudo-cigare et bientôt un arôme exquis de pur havane flottait par tout l'appartement.

Et la joie béate du bon pioupiou devant ces volutes de fumée bleue !

Voilà certes qui est beaucoup plus fort que de jouer au bouchon avec des pains à cacheter blancs dans la neige.

Propos d'été

La température aurait tendance à plutôt fraîchir, mais tous ces jours, bon Dieu ! qu'est-ce qu'on a pris comme thermographie !

Je connais des gens qui en furent réduits à s'installer sur le visage tout un lacis de minuscules gouttières canalisatrices de sueur, spectacle des plus curieux.

La cérébralité publique en subit, elle aussi, de profondes atteintes, et jamais l'infirmerie du Dépôt ne reçut autant d'hôtes calorimabouls.

Sans compter tous ceux que l'innocuité de leur insanisme préserva de la séquestration.

Témoin ce dialogue, rigoureusement entendu à la terrasse d'un café dit des grands boulevards.

Un monsieur, orné d'une grande barbe, est installé à une table, quand survient un autre individu, pourvu de simples moustaches, mais environ du même âge que son compagnon :

– Tiens, Jules ! fait le grand barbu. Comment vas-tu ?

– Je vais te dire ça tout à l'heure, mais d'abord procédons au plus urgent... Garçon, deux *demis !*

– Tu attends quelqu'un ?

– Pas une âme !

– Alors ?

– Observe pour apprendre, et tais-toi.

– Bon.

Les deux *demis* s'amènent, frais, mousseux, deux amours !

Pas de mot dans la langue française pour exprimer l'effrayante célérité avec laquelle le contenu du premier verre disparut dans le gosier de Jules, puisque Jules il y a.

– Comment ! s'écria l'ami de Jules, comment peux-tu faire pour t'enfourner ainsi ce tas de cervoise ?

– Comment je fais ? Regarde, afin de t'instruire.

Et le contenu du second verre emprunte à disparaître cette même célérité à laquelle persiste à ne correspondre aucun mot dans notre langue.

– Garçon, deux *demis !* ordonne de nouveau Jules.

Visiblement découragé de l'inlassable bibitron, l'ami de Jules tente de porter ailleurs le tapis de la conversation.

– Qu'est-ce que tu deviens ?... On ne te voit plus.

– J'arrive de Dublin.

– De Dublin !... Qu'est-ce que tu as été f... à Dublin ?

– Rien.

– Mais alors ?

– C'est un type que j'ai rencontré, l'autre jour, rue d'Amsterdam, et qui m'a dit : « Je vais à Dublin, vous devriez bien venir avec moi. » Alors, je lui ai dit : « Ça colle, je vais avec vous à Dublin. »

– Qui est ce type ?

– Je ne le connais pas.

– ! ! ! ! ! !

– C'est un de ces types comme il en fourmille dans la rue et qui appartiennent à la secte bien connue des gens qu'on voit pour la première fois et qu'on ne reverra jamais... plus jamais.

– Never more !

– C'est horriblement affreux !... Garçon, deux *demis !*

– Pourquoi deux *demis* du même coup ?

– Afin d'éviter du dérangement au garçon.

– Avec ce régime, tu vas te flanquer une jolie dilatation d'estomac.

– C'est bien là-dessus que je compte... On n'a jamais l'estomac trop dilaté !

– Une simple tasse de thé, mon pauvre Jules, suffirait à te désaltérer.

– C'est bien cela que je veux éviter.

– ? ? ? ?

– Suis bien mon raisonnement : si j'étais désaltéré, je ne boirais plus.

– Précisément.

– ... Et ne buvant plus, je crèverais de soif, – ce qui n'est pas à faire.

Légitime protestation

Nous recevons à l'instant le billet suivant que la réelle notoriété de son expéditeur nous fait une obligation d'accueillir sans vaciller et les yeux, en quelque sorte, fermés :

« Mon cher Allais,

« Depuis que J'existe – et c'est le cas ou jamais de le dire, cela ne nous rajeunit pas –, Ma ligne de conduite est pétrie de dédain pour tout ce que, sur terre, on peut penser, écrire ou dire sur Moi.

« S'il Me fallait rectifier les propos tenus à Mon égard, deux ou trois éternités entières n'y suffiraient pas.

« Quantités d'individus se prétendent Mes envoyés, et parlent, non sans culot, en Mon nom ; d'autres, au contraire, n'hésitent pas à nier Mon existence.

« Les premiers comme les seconds, savez-vous l'effet qu'ils Me produisent ?

« Je vais vous le dire, l'effet qu'ils Me produisent : Je m'en bats l'œil (l'œil de la Providence).

« Cependant, tout de même, aujourd'hui, Je n'ai pu M'empêcher de bondir.

« N'ai-je point lu dans les gazettes ces quelques paroles que prononça Mme la marquise de Mac-Mahon, lors de sa visite aux bouchers de Limoges (à l'issue de laquelle elle fut nommée louchébem honoraire) : "Dieu est avec nous. Le régime républicain n'est pas le régime qu'il veut pour la fille aînée de l'Église. Dieu est royaliste."

« Malgré la vive sympathie que M'inspire Mme la marquise de Mac-Mahon, une de Mes plus dévouées servantes, Je ne saurais laisser passer sans protester les opinions politiques qu'elle Me prête aussi gratuitement, et Je vous autorise, Mon cher Allais, à déclarer en Mon nom que Je me suis fait un devoir de Me tenir à l'écart de la politique, cette satanée politique qui cause tant de tort à la pauvre fille aînée de Mon Église.

« Je vous dirai même, entre nous, que si J'avais une opinion à émettre sur la question, elle étonnerait bien Mes fidèles, car je me sens des tendances plutôt anarchistes.

« Comptant, Mon cher Allais, sur votre si connue obligeance pour hospitaliser cette petite protestation, Je vous prie de croire à tout ce que J'ai de mieux en fait de bons sentiments.

« Votre vieux Tout-Puissant.

« *Signé* : DIEU. »

Il va sans dire que nous accueillerons avec une bonne grâce peu commune la rectification, s'il y a lieu, de Mme la marquise de Mac-Mahon.

Où le puffisme s'arrêtera-t-il, en admettant que, lancé comme il est, il puisse jamais s'arrêter ?

Samedi dernier, je me sentais tout chose.

Était-ce la chaleur ou, plutôt une indigestion laborieuse, je ne sais, mais le sûr, c'est que je me sentais tout chose.

Et quand je me sens tout chose, il me passe en la tête des idées baroques.

Ainsi, je me mis à dévorer les petites annonces sises à la dernière page du journal *Le Journal* (le plus littéraire et le mieux informé des journaux de Paris. Le seul paraissant sur six pages au moins).

Soudain, mon regard tombe sur les lignes suivantes :

Petite fortune assurée en un mois sans risquer un décime.

Combinaison nouvelle à la portée de tout le monde.

Écrire : Audax, 27, au *Journal.*

Petite fortune ! Diable !

J'en aurais certes préféré une grosse mais, n'ayant pas le choix, je mis la main à la plume pour aviser M. Audax du vif plaisir que j'éprouvais de faire sa connaissance.

Comme je venais de reprendre la lecture du petit texte en question, une seconde annonce, plus extraordinaire encore que la première, sollicita mon attention :

Jeune fille sourde-muette, dot 1 700 000 francs,

recherche homme du monde pour mariage blanc.

Écr. LUCIA H. W. au *Journal.*

Diable ! m'exclamai-je, une femme pourvue de 1 700 000 francs, c'est déjà pas vilain, mais muette par-dessus le marché, affaire merveilleuse ! Écrivons.

J'écrivis à Lucia. H. W. une lettre enflammée sans oublier de glisser dans l'enveloppe une de ces photographies, vous savez, où j'ai l'air si distingué... C'était le jour probablement, car voilà que je tombe sur ma troisième annonce pas moins banale que les deux premières :

Étonnant ! Étonnant ! Étonnant !

Mon procédé guérit toutes les maladies.

Écr. : Dr. 2119 au *Journal.*

Étonné, étonné, étonné, je rédige une troisième lettre à l'excellent docteur 2119.

Pendant que j'y étais, je répondis à deux autres annonces, l'une :

Villégiature gratuite pendant un mois,

en échange de petit travail facile.

Écrire : B K, 19, *Journal.*

La seconde, assez mystérieuse, celle-là :

Blkw sqkrs ljxrb sssss bcd.

Écrire : RSPZ, *Journal.*

Tout à fait ragaillardi par ce petit exercice, je commandai un second litre, puis vins m'étendre sur un banc des boulevards extérieurs, rêvant fortune, beau mariage, belle santé, plaisirs champêtres et Blkw sqkrs.

Vous pensez bien que, dès le lendemain matin, dès l'aube, j'étais chez ma concierge, guettant le facteur.

Les réponses ne s'étaient pas fait attendre.

D'une main fébrile, je décachetai la première enveloppe.

Et je lus :

« Monsieur, pour faire fortune en un mois, écrivez un livre

comme *Le Cœur sur la main et l'Estomac dans les talons*, d'Édouard Osmont. »

Allons bon, pensai-je, un fumiste.

Réponse de la jeune fille sourde-muette :

« Au lieu de courir les femmes, petit polisson, lisez donc *Le Cœur sur la main et l'Estomac dans les talons*, d'Édouard Osmont. »

Encore ! Certainement, ces gens-là se sont entendus pour me berner.

Troisième lettre :

« Pour vous guérir, lisez *Le Cœur sur la main et l'Estomac dans les talons*, d'Édouard Osmont. »

Devenu méfiant, j'ouvris la quatrième :

« Vous gagnerez vite de quoi faire un séjour à la campagne en écrivant un livre comme *Le Cœur sur la main et l'Estomac dans les talons*, d'Édouard Osmont. »

J'ai décacheté la cinquième enveloppe, c'est bien par pur acquit de conscience :

« Blkw *Le Cœur* sqkrs *sur la main et l'Estomac* ljirbj *dans les talons*, d'Édouard Osmont. »

Ô Chateaubriand ! du haut du ciel, ta demeure dernière, de quel œil sévère ne dois-tu pas contempler les procédés des jeunes littérateurs d'aujourd'hui !

L'opposition punie

Dans l'un des derniers numéros des *Annales politiques et littéraires,* notre vaillant camarade Georges d'Esparbès raconte des histoires de mystificateurs.

Quelle ne fut point la réelle stupéfaction de celui qui écrit ces lignes en constatant que son nom se trouvait compris dans la liste de ceux qui notoirement s'envoient, en vue de leur simple divertissement, la cafetière de leurs contemporains.

Et pourtant, Dieu sait... !

Si l'on en croit notre vaillant camarade, voici ce qui se serait passé en je ne sais plus quelle année, au sein de la caserne dite de Babylone (c'est de cette vieille baraque qu'il ne saurait s'agir quand on parle de la Babylone moderne).

Invité par l'autorité militaire à accomplir une période d'instruction militaire à bord du 46ᵉ régiment d'infanterie, je me présente avec un lot de congénères.

Seuls, disent les règlements, ont le droit de coucher en ville les réservistes mariés.

Le célibataire que j'étais ne manqua pas de juger draconienne pareille mesure et quand notre sergent-major m'informa sur cette spécialité de mon état civil :

– Comment, m'écriai-je, si je suis marié ! Si je n'étais que marié ! Mieux encore, je suis bigame !

– Bigame ! s'effara l'honnête sous-officier.

– Parfaitement, bigame ! Et c'est non seulement la permission de la nuit que je réclame pour la passer avec mon épouse n° 1, mais encore un congé dans la journée afin de ne point laisser seule ma femme n° 2.

Cette petite plaisanterie, suivie de quelques autres exécutées avec le plus grand sang-froid, contribua à me fournir une *période d'instruction* exempte du moindre ennui.

De lui-même, mon capitaine me baptisa le *loufoc* et veillait à ce que ses sous-ordres évitassent de me tracasser.

Georges d'Esparbès, lequel, à cette époque, était caporal et secrétaire du colonel, m'aida très gentiment – et je l'en remercie encore – à l'accrédit de cette légende, si bien que les jours où l'on devait aller au tir à Vincennes, mon capitaine me disait : « Dites-moi, Allais, si vous *avez besoin* chez vous, aujourd'hui, vous êtes libre » d'Esparbès l'ayant prévenu que rien ne m'excitait tant que le bruit des coups de fusil.

Comme c'est loin, tout cela, mon vieux d'Esparbès !

Puisque nous en sommes au chapitre des mystificateurs, laissez-moi vous conter l'excellente blague qu'un mien ami, magistrat républicain, aujourd'hui des plus graves, ne put s'empêcher de faire à une bijoutière trop violemment, à son gré, nationaliste.

D'aspect grave, mon ami, arrivé de la veille à Paris, se promenait dès le matin par les rues de la capitale.

Un petit attroupement provoqua son attention ; il s'approcha.

Une des grandes glaces d'un magasin de bijouterie avait été sinon entièrement brisée, du moins fortement étoilée, pendant la nuit, par quelque malfaisant. Et la patronne du magasin, furieuse, gesticulant devant sa porte, accusait de son malheur le manque de surveillance policière et surtout cette bienveillance que témoignent, paraît-il, aux pires apaches, les bandits qui nous gouvernent actuellement.

– Tant que nous aurons, hurlait-elle, un ministère comme celui-là, les honnêtes gens ne pourront pas dormir en paix. Avec ces canailles du Bloc...

– C'est peut-être Rouvier lui-même qui a démoli votre devanture ? rigola un passant.

– Cela ne m'étonnerait pas, fit sérieusement la bijoutière.

– Ou bien Pelletan, pour donner des boucles d'oreilles à sa petite femme.

Etc., etc., etc.

À son aspect rangé et bien vêtu, l'irascible joaillière s'imaginant que notre ami le magistrat partageait ses opinions distinguées, c'est à lui qu'elle adressait particulièrement ses propos les plus anti-blocards.

L'autre écoutait gravement, mijotant un de ces bons *charriages* en lesquels il excellait jadis au Quartier latin.

Soudain, le voilà qui prend un air accablé !

– Madame, fait-il, rentrons dans votre magasin, j'ai quelque chose de très sérieux à vous dire en particulier.

– À moi !

– Oui, à vous, madame... Ne cherchez pas plus loin celui qui, cette nuit, brisa votre glace. Vous l'avez devant les yeux.

– Vous, monsieur ? Vous ?

– En personne. Il faut que je vous dise, madame, qu'en dépit de mon beau chapeau, de mon manteau à col d'astrakan et de mes bottines vernies, je suis le dernier des indigents.

– Allons donc !

– Écoutez-moi... Caissier principal dans une de nos plus grandes administrations parisiennes, j'ai été mis à la porte hier matin... Or, certaines conditions de mon renvoi m'interdisaient de toucher le moindre salaire – au contraire ! De plus, je ne possède pas un sou d'économies, pas un sou... ! Madame, je n'ai pas mangé de toute la journée... Le soir vint... Ah ! madame, si vous saviez comme la misère est mauvaise conseillère. N'osant rentrer chez moi annoncer la mauvaise nouvelle à ma concubine, j'errai toute la nuit... À un moment, je saisis une grosse pierre... Vous savez le reste !... Vous voyez donc bien, madame, que les gens du Bloc ne sont pour rien dans votre malheur.

Ahurie, la bijoutière écouta jusqu'au bout ce récit.

– Mais continua mon ami, rassurez-vous, madame, je suis prêt à tout faire pour vous dédommager.

– Vous n'avez pas le sou, dites-vous.

– Je travaillerai la nuit aux Halles à décharger des légumes, et sur mon salaire je prélèverai chaque jour un sou que je vous apporterai fidèlement.

Tout ce colloque s'était déroulé dans le secret de l'arrière-boutique... La joaillière en avait assez...

– Adolphe, ordonna-t-elle, allez chercher deux agents.

Au poste, la scène fut, comme on dit, inénarrable.

– Cette dame, monsieur le brigadier, me produit l'effet d'une démente peut-être dangereuse... Ne m'accuse-t-elle pas, moi, procureur de la République de A...-sur-B..., d'avoir nuitamment brisé l'une des glaces de sa devanture.

– Mais, monsieur le brigadier, c'est lui-même qui vient de me le dire.

– Moi ?... Allons, madame, du calme ! Soignez-vous, ce n'est peut-être qu'une crise passagère... Un peu de calme, de l'hydrothérapie, du bromure...

– C'est trop fort !

– Ai-je besoin de vous dire, monsieur le brigadier, au cas où cette personne persisterait dans sa ridicule accusation, que je puis établir le plus irréfutable des alibis.

Cette fois, la bijoutière éclata :

– Salaud ! Cochon ! Républicain ! Crapule ! Vendu ! Blocard !

Et elle rentra chez elle, toujours en proie au plus vif courroux.

La sage précaution

Comme beaucoup d'autres hommes, M. Moïse Lévy-Strassberg réunissait pas mal de petits défauts, quelques grandes qualités et un bien gros vice.

Moïse Lévy-Strassberg était joueur, mais joueur comme on ne l'est pas.

De certains joueurs on dit volontiers qu'ils joueraient leur dernière chemise, vous verrez par la suite de cette histoire que Moïse Lévy-Strassberg recula plus loin encore les limites de la cartomanie.

Mais tout comporte une fin : par un beau soir, au cercle, Moïse Lévy-Strassberg, mis dans tous ses états parce qu'on se permettait de lui discuter un coup qu'il ne considérait, lui, comme le moins du monde pas douteux, contracta finalement une telle colère qu'il fut frappé de ce que les gens appellent un coup de sang !

Pendant que les médecins (il y a toujours des médecins dans un cercle) s'empressaient à le ranimer, mais inutilement, débarrassé de son enveloppe matérielle, le corps astral de Moïse Lévy-Strassberg filait telle une blanche fusée tout droit vers le paradis.

Celui qui n'a pas vu la tête de saint Pierre à cette apparition n'a rien vu.

Le brave saint Pierre – chacun connaît ce détail – est un farouche antisémite, *La Libre Parole* n'a pas plus fidèle lecteur que lui, et chaque fois que se présente au Céleste Huis un journaliste parisien, il ne manque jamais de s'informer de la santé de ses écrivains favoris : Édouard Drumont, Gaston Polonnais, etc.

Malgré les instances réitérées de son Divin Maître, saint Pierre n'a jamais pu se décider à pardonner aux juifs les événements qui se déroulèrent voilà bientôt deux mille ans dans quelques parages désormais célèbres de l'Asie Mineure, événements assez connus pour que nous nous dispensions d'y insister.

– Pardon, mon cher saint Pierre... car c'est bien, je suppose, à saint Pierre que j'ai l'honneur de présenter mes devoirs, s'inclinait respectueusement feu Moïse Lévy-Strassberg.

– À lui-même... mais vous n'avez rien à faire ici... Allez, oust !

– Minute, cher Bienheureux, j'excuse votre erreur causée par le patent hébraïsme de mon aspect physique, mais ne vous y trompez pas, vous avez devant vous un catholique et, j'ose le dire, un excellent catholique.

Saint Pierre jeta les yeux sur une fiche que venait de lui apporter l'archange de service.

– Tiens, c'est vrai, s'exclama saint Pierre, mais reconnaissez qu'à ma place, n'importe qui eût commis la même confusion.

Moïse Lévy-Strassberg, rien de plus exact, appartient depuis une trentaine d'années à la religion catholique, apostolique et romaine.

À la suite de quel événement ?

Voilà qui mérite une copieuse parenthèse !

Jeune encore, Moïse Lévy-Strassberg fut désigné par son directeur pour aller créer une succursale à Hong-Kong.

À bord du bateau qui l'emmenait vers l'Extrême-Orient, il fit connaissance d'un missionnaire catholique, ancien homme du monde désabusé et qui, lui, se rendait en Chine afin de catéchiser les disciples de Confucius.

De son ancien état d'homme du monde, ce pionnier de la vraie religion n'avait pas su se débarrasser d'un goût très vif pour le jeu.

Nos deux personnages eurent – comme bien vous pensez – vite fait de s'entendre sur ce terrain commun.

Or, il arriva qu'au bout de quelques jours, honteusement et régulièrement battu par l'apôtre chrétien, l'enfant d'Israël était, si j'ose m'exprimer ainsi, fauché comme un verre à bière.

Pour dire que Moïse Lévy-Strassberg prit la chose avec un sourire, on ne peut pas dire que Moïse Lévy-Strassberg prit la chose avec un sourire.

Moïse Lévy-Strassberg concevait, au contraire, de son désastre le plus âpre désespoir, parlant même de se jeter à l'eau.

– Écoutez, mon enfant, fit l'apitoyé missionnaire, ne vous désolez pas tant, je vous offre votre revanche.

– Mais puisque je vous dis, mon père, que je ne possède plus un rotin vaillant !

– On peut risquer d'autre enjeu que l'argent.

– Quoi, par exemple ?... Mes nippes, qu'en feriez-vous ?

– Il ne s'agit pas de nippes... Je vous joue votre âme.

Moïse Lévy-Strassberg exécuta un prodigieux bond en arrière.

– Seriez-vous le diable ?

– Non, mon enfant, je suis un envoyé de Dieu qui veut faire votre salut.

– Comprends pas.

– Voici : je vous propose de jouer en cinq secs tout l'argent que je vous ai gagné contre votre conversion à notre sainte religion.

– Accepté !

– Mais, vous savez, mon enfant, j'entends une conversion sincère avec tout ce qu'elle entraîne avec elle.

– Entendu, mon père, personne n'est plus loyal au jeu que votre serviteur !

Patatras ! Moïse Lévy-Strassberg perdit la partie.

Le baptême eut lieu quelques jours après ce mémorable match, le temps à Moïse Lévy-Strassberg de se mettre au courant des principes essentiels de sa nouvelle religion.

Le commandant du bateau servit de parrain.

De marraine, la plus jolie passagère.

Petite cérémonie qui procura quelques bons instants aux voyageurs et à l'équipage (les bons instants, en mer, c'est si précieux !).

Loyal perdant, Moïse Lévy-Strassberg s'attacha à ne négliger un seul jour les pratiques catholiques : prière matin et soir, messe le dimanche, communion aux grandes dates fériées de l'Église, maigre le vendredi, Quatre-Temps, Carême, etc., etc.

Vous voyez donc bien que notre ami n'exagérait point en se proclamant excellent catholique.

Saint Pierre, cependant, continua à froncer ses épais sourcils blancs.

– Vous n'êtes pas juif, d'accord, mais votre fiche vous représente comme un terrible joueur impénitent et vous devez savoir que nous n'aimons pas beaucoup ça, ici, les joueurs... Un paradis c'est pas un casino.

En vertu de ce vieux principe qu'il vaut mieux avoir affaire au bon Dieu qu'à ses saints, Moïse Lévy-Strassberg exigea qu'on le mît en rapport avec le divin Patron.

– Seigneur, Seigneur ! implora Moïse Lévy-Strassberg, que vous auriez donc mauvaise grâce à me tenir rigueur de ma funeste passion du jeu, puisque c'est par elle que votre saint Bercail a pu récupérer une brebis égarée.

– Rien n'est plus juste ! fit le Seigneur. Saint Pierre, laisse entrer monsieur. *(S'adressant à Moïse Lévy-Strassberg)* Et pour te bien démontrer que je ne t'en veux pas, je te propose une petite partie d'écarté.

– Très volontiers, Seigneur, mais vous savez, si on joue de l'argent, pas de miracles, hein !

Où la science s'arrêtera-t-elle ?

Vous êtes-vous jamais trouvé dans cette situation bizarre, ouvrant votre porte à quelque visiteur, de voir pénétrer chez vous comme un immense sac de charbon, lequel, non content d'être par lui-même intensément noir, s'amuse à rayonner autour de lui un épais crépuscule.

Tel le spectacle auquel nous assistions, MM. Henry Becquerel, d'Arsonval, Lippmann, Max de Nansouty et M. votre serviteur ; spectacle peu banal, dont ce dernier vous traçait récemment, ici même, un léger croquis précurseur.

Une voix se fit entendre, semblant sortir de la partie supérieure du sac de charbon :

– Alors, bien vrai, messieurs, je ne vous dérange ?

Il n'y avait plus à douter !

Nous avions devant nous W.-K. Goldcock, l'inventeur de l'*Érébium.*

Et l'*Érébium* n'était pas un mystère, pas une blague, pas un truc, pas un *fun*, pas un *humbug.*

L'*Érébium* jouissait bien de cette stupéfiante propriété de dégager de la ténèbre, ou tout au moins d'abolir, dans un certain rayon, la lumière du jour.

Le bloc d'ombre se déplaçait, semblant glisser, autour de nous.

Et quand le bloc d'ombre s'approchait tout près de l'un de nous, l'un de nous disparaissait, comme absorbé par une nuit mouvante.

Une voix reprit, goguenarde cette fois :

– Eh bien ! messieurs les savants, vous ne me reconnaissez pas ?... Serait-ce parce que vous me voyez pour la première fois ?

– Si on peut appeler ça voir un homme, observa M. de Nansouty.

– ... Ou bien parce que je viens de me revêtir d'un simple cache-poussière imprégné de permanganate d'érébium ?... Ah ! ah ! l'*Érébium*, ça vous en bouche un coin au *Radium !*

Soudain, il se fit, dans le sac de charbon, un grand remue-ménage ; puis nous le vîmes s'effondrer sur le sol, occupant un volume beaucoup plus restreint que tout à l'heure.

Émergeant du tas d'obscurité, un homme d'un certain âge, après nous avoir, en souriant, salués, se courba vers la terre et fit les gestes d'un qui plie un vêtement.

Au fur et à mesure de ces mouvements, le tas de nuit se rétrécissait, devenait à rien, pour, finalement, disparaître dans une sacoche que l'homme portait en bandoulière.

– W.-K. Goldcock, s'annonça lui-même le monsieur.

M. le professeur d'Arsonval voulut bien présenter à notre visiteur toutes les personnes présentes à cette scène inoubliable.

– W.-K. Goldcock, reprit ce dernier, ou, plus exactement, Guillaume-Charles Vidor, ancien pharmacien de première classe en France, forcé, par une ingrate magistrature, de s'expatrier, rapport à je ne sais quelle misérable histoire de vente de matières abortives en temps prohibé.

– Nous sommes heureux, déclara M. Becquerel, de voir, une fois de plus, due à un Français, une si belle découverte...

– Serait-ce indiscret ?... murmura timidement le bon M. Lippmann.

– Nullement, nullement, mon cher professeur. Voici : de même qu'il existe des poissons doués de ce que le docteur Raphaël Dubois appelle la biphotogenèse, c'est-à-dire la faculté d'émettre une lumière provenant de leur organisme propre, de même, il existe le contraire, c'est-à-dire des poissons qui, dans certaines circonstances, sont capables de produire des ténèbres et de s'en entourer.

– Telle la sèche...

– Tu l'as dit, Nansoury...

Chacun de s'esclaffer.

– Grâce, poursuivit notre ami, à une fort menue quantité de substance, la sèche peut obscurcir un volume d'eau considérable, et ce dans le plus instantané des délais. N'y avait-il point, dans cette opération, autre phénomène qu'un vulgaire et matériel brouillissement de l'eau par addition de substances étrangères ? C'est ce dont je me doutais. Un mois de travail, et je parvenais à isoler l'*Érébine*, que je considérai d'abord comme une matière organique, pour bientôt m'apercevoir qu'elle était, fichtre bien !

Oxyde d'Érébium.

Quelles seront les conséquences de cette découverte ?

Immenses, sans doute, mais d'un ordre assez difficile à préciser, pour le moment.

Entre des mains coupables, l'*Érébium* peut devenir une arme nuisible, hélas ! à un bon fonctionnement de la société en général, et particulièrement en ce qui concerne ces braves huissiers et ces pauvres créanciers !

Le signalement contradictoire

À la suite d'affaires qui seraient beaucoup trop longues à conter ici et qui, d'ailleurs, n'offriraient aucune sorte d'intérêt à ma sémillante clientèle, je dus me mettre en rapport par correspondance avec un bonhomme de la ville voisine, personnage dont j'ignorais en totalité l'aspect physique.

Mais vous savez *ce que c'est*, on ne s'explique pas si bien par lettres que par conversation directe.

Aussi fut-il convenu que le bonhomme viendrait me voir, mais, pour éviter des pertes de temps, il me pria de l'attendre à la gare, au train qui arrive à 9 h 37.

On causerait, on signerait – s'il y a lieu – un petit papier et l'honorable monsieur pourrait ainsi reprendre le train de 11 h 20 qui le remettait chez lui à l'heure de son déjeuner.

Voilà donc, n'est-ce pas, ce qui était bien entendu.

Le matin du jour qu'était fixé ce rendez-vous, une inquiétude me prit à l'âme.

Comment reconnaîtrais-je mon bonhomme ?

Je n'avais, répétons-le, aucun tuyau sur son extériorité.

Était-il jeune, ou s'il frisait déjà la tombe ?

Blond ou brun ?

Astèque ou athlète ?

Je fis ce que chacun de vous eût fait à ma place : je m'informai.

– Oh ! me dit le vétérinaire du pays, votre type n'est pas difficile à reconnaître, il est tout rouge et tout rond.

Je n'insistai pas ; *tout rouge et tout rond* me semblait une très suffisante indication.

Pourtant, quelques minutes avant l'arrivée du train, je conçus le besoin de compléter mes renseignements.

M'adressant au patron du Café de la gare :

– Vous connaissez Monsieur un tel ? fis-je.

– Parfaitement.

– Quel genre d'homme est-ce ?

– C'est un homme encore vert et très carré en affaires.

Je n'en entendis pas davantage et rentrai chez moi. Comment vouliez-vous que je reconnusse dans une foule un personnage qu'on me donnait d'un côté comme rouge et rond, et de l'autre comme vert et carré ?

Dorénavant je ne ferai plus d'affaires qu'avec des gens qui m'enverront leur photographie, et en couleurs, encore.

Souvenirs de jeunesse

Le steamer *François Ier* vient de jeter sur le quai d'Honfleur tout un lot de petits jeunes gens havrais, lesquels vont opérer leur rentrée dans ce même vaillant collège où le monsieur qui écrit ces lignes a reçu la forte éducation qui a fait de lui l'homme que vous savez.

Diverses sont les attitudes de ces jouvenceaux : les plus grands affectent un air détaché, cependant que les pauvres tout petiots n'en mènent pas large et serrent bien fort la main de leur maman.

À ce spectacle, mon cœur s'émeut et de grosses larmes viennent perler à mes cils de rude devancier.

La cohue des souvenirs collégiaux m'assaille, bons et mauvais ; plutôt bons, car j'étais un élève flemmard, sournois et combien rosse ! Toutes conditions flatteuses pour arriver au parfait bonheur.

Beaucoup de mes professeurs ont conservé de moi comme une terreur superstitieuse, tant mon génie inventif leur causa de tracas pénibles et divers.

L'un d'eux, surtout, que je rencontre parfois, devient livide dès qu'il m'aperçoit, et les passants pourraient croire à quelque subit choléra.

Imaginez-vous que ce vieux bougre de professeur était si gourmand, qu'il nous confisquait à toute minute les menues friandises recelées dans nos pupitres, pour les affecter à son propre usage.

– Un tel, que grignotez-vous là ?

– C'est une tablette de chocolat, m'sieu.

– Apportez-la-moi.

– Voilà, m'sieu.

Et ce grand goulu n'hésitait pas à finir la tablette entamée.

Un jour, qu'il m'avait chipé tout un petit sac de figues sèches, je résolus de me venger et, dès le lendemain, j'apportai en classe une douzaine de biscuits purgatifs au calomel, ce qui me fut facile, mon brave père exerçant la profession de pharmacien.

Nous étions à peine installés sur nos bancs que je me mis à déguster un biscuit, un biscuit nature, bien entendu, et non pharmaceutique.

– Allons, qu'est-ce que vous mangez là ?

– Des biscuits, m'sieu.

– Apportez-les moi.

– Voilà, m'sieu.

Ah ! je vous prie de croire que l'infortuné pédagogue n'eut pas le temps d'achever sa classe !

Au bout d'une demi-heure, il se tordait dans les affres des coliques les plus tortueuses et disparaissait vers de secourables infirmeries.

À partir de ce jour, je pus, à mon aise, déguster toutes les gourmandises du monde, le bonhomme ne me demanda plus jamais à partager.

Une autre fois, je me divertis également, telle une baleine de faible taille.

C'était vers la fin de l'année scolaire, à cette époque veule d'énervement estival, où les journées se passent à soupirer après le moment béni du départ.

On s'embêtait follement, surtout les internes !

Qu'est-ce qu'on ferait bien, pour tuer le temps ! Mon Dieu, qu'est-ce qu'on ferait bien !

J'eus une idée !

– Voulez-vous, proposai-je aux intéressés, que je vous fabrique de l'eau pour vous teindre les cheveux et les sourcils, les bruns en blond, les blond en noir ?

Si on accepta, vous voyez cela d'ici !

Mais ce que vous ne pouvez pas vous imaginer, c'est la tête des parents, le jour de la distribution des prix, apercevant leur extraordinaire progéniture ainsi travestie.

Il y avait notamment un joli petit garçon blond devenu, grâce à ma chimie, noir comme notre ami Paul Robert et que sa pauvre mère se refusait farouchement à reconnaître pour sien.

C'était le bon temps.

Spiritisme et chemin de fer

M. Victorien Sardou, notre grand adaptateur national, va prochainement faire représenter au théâtre de la Renaissance une pièce en laquelle il est, paraît-il, question de spiritisme et de chemin de fer.

Un personnage de ce drame – autant que mon intelligence un peu affaiblie a pu le saisir – un personnage doué de la seconde vue, aurait la vision d'une imminente rencontre de deux trains et, grâce à sa perspicacité surnaturelle, empêcherait une effroyable collision.

Peut-être commets-je une légère erreur et, au lieu de seconde vue, s'agit-il d'une table tournante.

Peu importe ! C'est *kif-kif bourriqueau*, comme dit M. Francisque Sarcey, le chanteur bien connu à Angers.

Si M. Sardou s'imagine avoir eu le premier l'idée de ce coup de théâtre, il erre pleinement.

L'humble ver de terre qui écrit ces modestes lignes serait désolé de causer une peine, même légère, à l'ingénieux assimilateur de Marly-le-Roi, mais la vérité avant tout !

Or, ledit ver de terre, voilà tantôt une belle pièce de dix ans, écrivit, en une feuille éphémère qu'il retrouvera facilement au jour du procès, une page maîtresse qui contait une aventure étrangement analogue.

Voici l'histoire dénuée de tout artifice :

Une dame dit un jour à son mari :

– Mon ami, voici un temps infini que je n'ai pas été voir ma vieille tante de Pont-l'Évêque... J'estime qu'il serait sage, à moi, d'aller passer deux ou trois jours chez elle, pour éviter peut-être un pénible oubli testamentaire.

– Puissamment raisonné ! acquiesça le mari. Allons à Pont-l'Évêque !

– Oh ! pas toi !... Tu sais que ma tante n'a jamais pu te souffrir.

– Alors, vas-y seule, ma pauvre chérie.

La pauvre chérie s'en va et ne manqua pas un jour d'envoyer à son mari des télégrammes débordant de tendresse.

Le matin du troisième jour, télégramme annonçant le retour à telle heure.

Tout à coup et sans l'ombre d'un motif apparent, le mari éprouve d'affreux soupçons ; certes, sa femme est bien allée à Pont-l'Évêque, mais pas seule : elle s'accompagne d'un amant.

Le pauvre homme cherche à lutter contre son pressentiment – mais en vain : on ne lutte pas contre un pressentiment.

Et comme il est un être superstitieux, croyant au surnaturel, vite il se dirige vers le cabinet d'une dame spirite laquelle, déjà souvent consultée, lui a révélé d'extraordinaires choses.

Disons tout de suite, pour ne point dramatiser le récit, que la dame spirite en question tient principalement sa clairvoyance d'habiles complices disséminés dans le salon d'attente et qui font jaser les *poires*.

J'abrège.

La dame spirite, après avoir poliment demandé à l'*Esprit* s'il est en forme, le met à la disposition du pauvre monsieur.

– Où est ma femme ? demande le mari.

– Dans un chemin de fer, répond l'Esprit.

– Où est ce chemin de fer ?

– Sur la ligne de Trouville à Paris.

– Parfaitement... Mais précisez.

– Le train vient de quitter une gare qui s'appelle Le Breuil-Blangy.

Le monsieur consulte sa montre et s'écrie :

– Diable ! il a du retard, ce train !

– Le train file... file... file...

– I1 ne rattrapera jamais son retard... plus d'une heure !

Un silence se fait ; le pauvre homme n'ose aborder la fatale question.

– Où est le train, maintenant ?

– Il s'approche d'une station qui s'appelle Le Grand-Jardin.

– Il en est loin ?

– Non, tout près.

– Il ralentit sa marche ?

– Non, il brûle la station.

– Vous êtes sûr ?

– Il brûle la station... Il est passé !

– Mais non, vous vous trompez, ce n'est pas possible !

L'homme est comme fou !

– Ce n'est pas possible !... Au moment même où ce train entre dans le tunnel de Lisieux, un autre train y pénètre par l'autre bout... Ah ! les malheureux ! les malheureux !

Et le voilà parti, échevelé, hagard, courant vers celle de l'Ouest :

– Des nouvelles ! des nouvelles ! A-t-on des nouvelles ?

– Des nouvelles de quoi ?

– Des nouvelles de la terrible collision qui vient de se produire entre deux trains sous le tunnel de Lisieux.

On télégraphie en toute hâte.

Le chef de gare de Lisieux envoie une réponse ahurie : « Pas d'accident. Êtes-vous malade ? Qu'est-ce qui vous prend ? »

Ce ne fut que bien longtemps après que le monsieur eut le mot de l'énigme :

L'Esprit s'était servi d'un vieil *Indicateur.*

Qu'en pensez-vous, mon vieux Sardou ?

Le tour du monde en 67 heures

– Vous allez voir un fameux original, me dit le jardinier en sonnant à la porte du pavillon.

Une fenêtre s'ouvrit au premier ; un homme jeune encore, mais le torse nu et terriblement ébouriffé, s'avança.

– Qu'y a-t-il ? cria ce dévêtu d'une voix discourtoise.

– C'est un monsieur qui voudrait louer pour le 1er juillet.

– Attendez que je passe un pantalon.

Pendant que l'étrange locataire passait un pantalon, le jardinier me confia de nouveau que cet homme était un fameux original ; que, durant tout le mois de juin, il n'était point sorti de sa demeure et que son costume n'avait jamais été plus compliqué que celui de maintenant.

Tous les matins, une femme lui apportait une douzaine d'œufs frais ; le soir autant, et voilà les seules relations de ce monsieur avec le restant de l'humanité.

Heureusement qu'il n'avait loué que pour un mois, car on n'est pas très flatté, n'est-ce pas, d'avoir affaire avec des loufoques de ce calibre et on n'aurait pas été surpris de voir un beau jour le bonhomme f... le feu au pavillon. Je sais bien qu'on est assuré, parbleu ! mais comme ça aurait été amusant, dites donc, de perdre toute sa saison !

Nous entrâmes.

Quel fouillis, bon Dieu, quel fouillis !

Partout, sur les tables, sur les chaises, sur les lits, partout, des papiers, des dessins, des devis, des épures.

Et des calculs, des chiffres !

De quoi donner le vertige à tout un train de bestiaux !

Je contemplais ce spectacle avec une stupeur qui – je l'avoue – se panachait d'admiration.

Devant mon œil intelligent et mes façons distinguées, l'homme devint plus aimable et daigna m'expliquer :

– Un gros travail que je vais avoir fini dans trois jours.

– Y aurait-il indiscrétion ?...

– Pas la moindre ! Il s'agit d'un nouveau mode de locomotion qui permettra de faire le tour du monde en soixante-sept heures.

– En... combien, dites-vous ?

– En soixante-sept heures, confirme le monsieur de son ton le plus simple.

J'étais fixé : mon bonhomme avait au cerveau une fêlure spéciale, la fêlure des vitesses, comme d'autres ont celle des grandeurs, ou de la persécution... Flattons sa manie.

– Soixante-sept heures ! Tous mes compliments, monsieur.

– Oh ! on arrivera à mieux, mais comme début, c'est en effet assez coquet.

– Très compliqué ?

– Oh ! non ; très patriarcal, au contraire.

– Ah ! tant mieux !

– L'idée première n'est pas de moi, je n'ai que le mérite du perfectionnement et de l'application.

– Cela n'est déjà pas si négligeable.

– Vous connaissez les trottoirs roulants qui fonctionnent à Chicago, à Denver, à Detroit et dans d'autres villes des U.S. ?

– *I know.*

– *All right !* Eh bien, c'est cela ; seulement au lieu d'un trottoir, j'en ai dix qui courent les uns sur les autres à raison d'une vitesse (chacun) de soixante kilomètres à l'heure, mais chacun bénéficiant de la vitesse de celui sur lequel il roule...

– Je ne comprends pas bien...

– C'est pourtant bien simple ! Une supposition : vous êtes sur un bateau en marche, vous allez de l'arrière à l'avant de ce bateau... Alors, vous avez parcouru un chemin total composé de vos propres pas auxquels vient s'ajouter la route faite par le bateau.

– Parfaitement, j'ai saisi.

– De même pour mes trottoirs. Le premier roule à raison de soixante kilomètres à l'heure, le second de cent vingt kilomètres, etc., etc., jusqu'au dixième, qui arrive ainsi à abattre froidement ses six cents kilomètres.

– Et voilà !

– Ah ! je ne suis pas arrivé à ce résultat sans peine. Voilà un mois que je travaille à ce projet, sans relâche, sans sommeil, ne m'interrompant que pour me nourrir, chaque jour, de deux douzaines d'œufs frais et d'une bouteille d'extra-dry Léon Laurent.

– Pensez-vous que la... chose puisse être d'une prochaine mise en pratique ?

– Lundi, monsieur, les entrepreneurs pourraient donner le premier coup de pioche. Dès que j'aurai seulement une dizaine de millions, je commanderai mes trottoirs à la Compagnie du Pégamoïd, seule substance qui convienne à ce genre de travail.

– Les moteurs vous coûteront cher ?

– Les moteurs me coûteront *la peau.* J'utilise le vent, les marées, le clapotis des vagues. Je capte ces forces gratuites, je les transforme en énergie électrique, je les totalise, je les domestique, je les fais marcher au doigt et à l'œil.

– À l'œil, c'est le cas de le dire, observai-je finement.

Le triple malentendu

Je me sentis – pourquoi le nier ? – fort content de rencontrer ce vieux Reluquet, que je n'avais pas vu depuis des siècles.

Méticuleusement propre, mais de vêtement d'où l'on devinait bannie la moindre recherche fastueuse, Reluquet ne semblait pas respirer – on peut noter ce détail sans offenser le brave garçon – la vertigineuse situation sociale.

Aussi ma stupeur ignora-t-elle toute borne lorsque de- notre court colloque résulta :

1° que Reluquet habitait un joli petit hôtel avenue du Bois (tel le roi de Suède, m'émerveillai-je à part moi) ;

2° qu'il me priait de venir le prendre chez lui le lendemain, dans la matinée, afin, m'invitait-il, d'aller déjeuner chez Maxim ;

3° qu'on déjeunerait, en ce brave petit restaurant de famille, avec le prince...

– Le prince ?... dressai-je l'oreille.

– Oui, Henri.

– Le prince Henri ?

– Oui. Cela semble t'épater.

– Non...

Tout de même un doute me demeurait :

– Le prince ? insistai-je. Le prince Henri d'Orléans ?

– Lui-même. Tu le connais ?

– De vue, oui ; il est très gentil.

– Charmant !... Alors, entendu pour demain ?

– Entendu !

... Le lendemain, vers onze heures, non sans m'être fait renseigner sur quelle tenue je devais revêtir en telle occurrence, je « m'amène », comme dit Deschanel avenue du Bois-de-Boulogne, numéro 97.

– Reluquet ? me toise un grand coquin de laquais. Connais pas !

– Pourtant...

– Il n'y a pas de pourtant ni, d'ailleurs, de Reluquet ici. Cet hôtel est celui de M. Ernest Laumann, l'habile président du conseil d'administration de la Machinerie de la Maison du rire.

– Mon ami m'avait pourtant bien dit...

– Ah ! s'esclaffe le larbin, je comprends. Vous êtes, cher monsieur, la proie d'une erreur commune à tous les jeunes hommes de votre génération. L'avenue du Bois-de-Boulogne, vous l'appelez pour gagner du temps – comme si on pouvait gagner du temps et que ce ne soit pas le temps qui nous gagne ! – vous l'appelez « avenue du Bois » tout court. Mais l'« avenue du Bois » tout court existe, malheureux, et vous la trouverez entre l'avenue des Ternes et la rue Guersant.

L'arrogant serviteur avait, hélas ! raison, et bientôt, grâce à la gracieuse intervention d'un sapin rapide, je rencontrais Reluquet m'attendant au sein d'une modeste chambre de l'hôtel des Trois-Sèvres.

– Tu n'es pas en avance, mon vieux, eut-il la touchante inconscience de me reprocher. Pourvu que le prince ne soit pas parti !

Le prince, heureusement, n'était pas parti : il nous attendait, devant un vermout, à la terrasse d'un marchand de vins de l'avenue des Ternes.

Les présentations furent vite faites :

– M. Alphonse Allais, l'humoriste bien connu, doublé d'un vieux camarade du régiment... M. Henri Leprince, courtier en vinaigres d'Orléans.

– Enchanté, monsieur ! me donnai-je une contenance... Nous filons ?

– Où ?

– Chez Maxim... Je crève de faim !

– Mais... nous y sommes.

Je levai les yeux sur l'enseigne, et je pus y lire :

MAXIME

Marchand de vins – Traiteur

où nous déjeunâmes – je ne m'en défends pas – à la perfection.

C'est peut-être le nom qui veut ça !

Le papier utile

Un bien fidèle lecteur d'Eberswalde a la délicate attention de m'adresser un numéro de son journal local, le *General Anzeiger*, dont un passage, entouré d'un trait bleu, émet la prétention de m'en boucher un coin, ainsi que dit notre aimable correspondant.

Traduisons tant bien que mal :

« Vous nous avez à maintes reprises, chères lectrices, et surtout chères ménagères, signalé l'inconvénient du papier de journal, qui conserve toujours un peu d'odeur de l'encre d'imprimerie, et dans lequel il est impossible d'envelopper du beurre, de la graisse, du saindoux, de la charcuterie, de la viande de boucherie et même du porc frais.

« Soucieuse d'être agréable à nos lectrices et amies, l'administration du *General Anzeiger* a décidé de publier dorénavant deux numéros par semaine qui ne seront imprimés que d'un côté, en sorte que l'autre pourra servir aux usages domestiques.

« Et, afin, mesdames et chères ménagères, que vous ne perdiez rien, dans cette innovation, au point de vue texte, les numéros imprimés d'un seul côté auront toujours le double des numéros ordinaires.

« Nous osons espérer que vous saurez apprécier les sacrifices que nous nous imposons, et nous vous prions, mesdames et chères ménagères, de nous recommander à vos amis et connaissances. »

Tous nos compliments à l'administration du *General Anzeiger*, mais n'hésitons pas à lui arracher le précieux laurier de l'innovation.

L'idée d'offrir au lecteur, non seulement la pâture intellectuelle et informatoire de ses colonnes, mais encore la contingence utile du papier-véhicule, remonte, sinon aux temps les plus reculés, du moins à pas mal d'années.

N'est-ce point Vallès qui conta ses débuts dans *La Naïade*, organe imprimé sur toile, et qui, principalement, se diffusait dans les établissements de bains ?

Et c'est vraiment miracle que les directeurs de périodiques n'aient pas plus au creux pioché la question !

Ainsi que la vertu est sa propre récompense, de même un

numéro de journal devrait constituer sa propre prime.

Serait-ce donc si malaisé, si coûteux ?

N'allez pas croire.

Dans un journal, nous comptons deux éléments matériels : le papier, l'encre d'imprimerie.

Or, le papier et l'encre d'imprimerie, voilà bien deux substances multiplement, en dehors de leur emploi naturel, utilisables, selon qu'on modifie leur fabrication ou qu'on y incorpore adroitement certains produits.

Le papier, le brave papier de journaux, additionné de substances mucilagineuses, devient un papier-cataplasme de premier ordre, dès plongé dans l'eau chaude.

Un peu de farine de moutarde intervenant dans sa composition, et quel sinapisme vous obtenez, le cas échéant !

Sur le domaine thérapeutique, nous n'en finirions pas, le papier étant le réceptacle indiqué pour toutes drogues externes visant meurtrissures, foulures, brûlures et autres porartures.

Abordons le tapis des usages domestiques.

Que diriez-vous d'un papier fabriqué avec la pulpe de bois de Panama et imprimé d'une encre au savon noir ?

Voyez-vous d'ici les mains de duchesse de nos braves typos, d'abord, et de nos non moins braves lecteurs ensuite ?

Et puis, quoi ?

Allons, ne soyons pas regardants !

Tous les dimanches, à partir d'une date que nous désignerons ultérieurement, le *Journal* paraîtra sur douze feuilles manufacturées en chair de perdreau, assaisonnées d'une encre dont la farine de truffes fera tous les frais.

Que dis-tu de cela, vieux *General Anzeiger* d'Eberswalde ?

Vulgarisation de la longévité

La statistique – qui songe à le nier ? – est une louable chose.

Malheureusement, les gens pratiquant d'habitude ce curieux sport ne sont pas d'âme à en tirer la moindre moralité : ils additionnent, ils divisent, puis,

D'un air béat,

Disent : Voilà !

Et c'est tout.

... La statistique, pourtant, est fertile en indications de toutes sortes, et si au lieu de demeurer l'attristante gourde que vous savez, la pauvre humanité se décidait à résolument pénétrer dans la voie de la clairvoyance, c'est à la Statistique, à la Statistique seule, qu'elle devrait emprunter son radieux lampadaire.

Grouillent, fourmillent, pullulent les exemples.

Un, au hasard :

(Quand je dis « au hasard », je fais preuve d'un certain toupet, l'exemple que je vais citer m'étant fourni par un de nos « fidèles lecteurs » de Saint-Genest-Malifaux, Loire.)

... s'il lui arrive de consulter les listes de la statistique pour la mortalité chez les gens pratiquant les unes ou les autres industries, le chercheur constate qu'il est des métiers où la mort vient faucher le fil de vos jours dans son œuf : oserais-je dire, cependant que certaines professions, au contraire, véhiculent leur homme, tranquillement, jusqu'au sein des plus vertes vieillesses.

(Il ne s'agit ici, bien entendu, que de moyennes.)

Pour peu qu'en son travail, le bon chercheur insiste (dirait un poète dans un vers immortel), de l'effarement bientôt se peint sur sa physionomie car il ne tarde pas à faire cette intéressante découverte :

la profession qui détient – et de beaucoup – le record de la longévité est la profession de pape !

C'est une chose véritablement indicible comme les papes vivent vieux !

La durée moyenne de la vie des papes est de dix ans supérieure à celle des officiers belges, lesquels, comme chacun sait, sont – et nous les en félicitons – d'enragés macrobites.

La moralité que nous devons extraire de cette constatation est la suivante :

si le monde catholique, au lieu de se contenter d'un seul pape – monopole, d'ailleurs, révoltant –, augmentait le nombre de ses souverains pontifes, il accroîtrait du même coup la moyenne de sa durée vitale.

Et puis, pendant que nous y sommes, pourquoi ne pas autoriser tout individu muni d'un certificat de vaccine, bonne vie et mœurs, à coiffer la tiare ?

De même qu'en République chaque citoyen est roi, dans la chrétienté nouvelle, chaque fidèle serait pape et les choses, croyez-en ma vieille expérience, n'en iraient pas plus mal.

Et puis, c'est les protestants qui feraient une tête !

Et les juifs, donc !

Conte de Noël

Ce matin-là, il n'y eut qu'un cri dans tout le paradis :

– Le bon Dieu est mal luné aujourd'hui. Malheur à celui qui contrarierait Ses desseins !

L'impression générale était juste : le Créateur n'était pas à prendre avec des pincettes.

À l'archange qui vint se mettre à Sa disposition pour le service de la journée, Il répondit sèchement :

– Zut ! fichez-moi la paix !

Puis, Il passa nerveusement Sa main dans Sa barbe blanche, s'affaissa – plutôt qu'Il ne s'assit – sur Son trône d'or, frappa la nue d'un pied rageur et s'écria :

– Ah ! j'en ai assez de tous ces humains ridicules et de leur sempiternel Noël, et de leurs sales gosses avec leurs sales godillots dans la cheminée. Cette année, ils auront... la peau !

Il fallait que le père Éternel fût fort en colère pour employer cette triviale expression, Lui d'ordinaire si bien élevé.

– Envoyez-moi le bonhomme Noël, tout de suite ! ajouta-t-il.

Et comme personne ne bougeait :

– Eh bien ! vous autres, ajouta Dieu, qu'est-ce que vous attendez ? Vous, Paddy, vieux poivrot, allez me quérir le bonhomme Noël !

(Celui que le Tout-Puissant appelle familièrement *Paddy* n'est autre que saint Patrick, le patron des Irlandais.)

Et l'on entendit à la cantonade :

– Allo ! Santa Claus ! Come along, old chappie !

Le bon Dieu redoubla de fureur :

– Ce pochard de Paddy se croit encore à Dublin, sans doute ! Il ne doit cependant pas ignorer que j'ai interdit l'usage de la langue anglaise dans le séjour des Bienheureux !

Le bonhomme Noël se présenta :

– Ah ! te voilà, toi !

– Mais oui, Seigneur !

– Eh bien ! tu me feras le plaisir, cette nuit, de ne pas bouger du ciel...

– Cette nuit, Seigneur ? Mais Notre-Seigneur n'y pense pas !... C'est cette nuit... Noël !

– Précisément ! précisément ! fit Dieu en imitant, à s'y méprendre, l'accent de Raoul Ponchon.

– Et moi qui ai fait toutes mes petites provisions !...

– Le royaume des Cieux est assez riche pour n'être point à la merci même de ses plus vieux clients. Et puis... pour ce que ça nous rapporte !

– Le fait est !

– Ces gens-là n'ont pas même la reconnaissance du polichinelle... Je fais un pari qu'il y aura plus de monde, cette nuit, au *Chat Noir* qu'à Notre-Dame-de-Lorette. Veux-tu parier ?

– Mon Dieu, Vous ne m'en voudrez pas, mais parier avec Vous, la Source de tous les Tuyaux, serait faire métier de dupe.

– Tu as raison, sourit le Seigneur.

– Alors, c'est sérieux ? insista le bonhomme Noël.

– Tout ce qu'il y a de plus sérieux. Tu feras porter tes provisions de joujoux aux enfants des Limbes. En voilà qui sont autrement intéressants que les fils des Hommes. Pauvres gosses !

Un visible mécontentement se peignait sur la physionomie des anges, des saints et autres habitants du céleste séjour.

Dieu s'en aperçut.

– Ah ! on se permet de ronchonner ! Eh bien ! mon petit père Noël, je vais corser mon programme ! Tu vas descendre sur terre cette nuit, et non seulement tu ne leur ficheras rien dans leurs ripatons, mais encore tu leur barboteras lesdits ripatons, et je me gaudis d'avance au spectacle de tous ces imbéciles contemplant demain matin leurs âtres veufs de chaussures.

– Mais... les pauvres ? Les pauvres aussi ? Il me faudra enlever les pauvres petits souliers des pauvres petits pauvres ?

– Ah ! ne pleurniche pas, toi ! *les pauvres petits pauvres !* Ah ! ils sont chouettes, les pauvres petits pauvres ! Voulez-vous savoir mon avis sur les victimes de l'Humanité terrestre ? Eh bien ! ils me dégoûtent encore plus que les riches !... Quoi ! voilà des milliers et des milliers de robustes prolétaires qui, depuis des siècles, se laissent exploiter docilement par une minorité de fripouilles féodales, capitalistes ou pioupioutesques ! Et c'est à moi qu'ils s'en prennent de leurs détresses ! Je vais vous le dire franchement : si j'avais été le petit Henry, ce n'est pas au café Terminus que j'aurais jeté ma bombe, mais chez un mastroquet du faubourg Antoine !

Dans un coin, saint Louis et sainte Élisabeth de Hongrie se regardaient, atterrés de ces propos :

– Et penser, remarqua saint Louis, qu'il n'y a pas deux mille ans, Il disait : *Obéissez aux Rois de la terre !* Où allons-nous, grand Dieu ! où allons-nous ? Le voilà qui tourne à l'anarchie !

Le Grand Architecte de l'Univers avait parlé d'un ton si sec que le bonhomme Noël se le tint pour dit.

Dans la nuit qui suivit, il visita toutes les cheminées du globe et recueillit soigneusement les petites chaussures qui les garnissaient.

Vous pensez bien qu'il ne songea même pas à remonter au ciel cette vertigineuse collection. Il la céda, pour une petite somme destinée à grossir le denier de Saint-Pierre, à des messieurs fort aimables, et voilà comment a pu s'ouvrir, hier, à des prix qui défient toute concurrence, 739, rue du Temple, la splendide maison :

Au Bonhomme Noël

Spécialité de chaussures d'occasion en tous genres pour bébés, garçonnets et fillettes.

Nous engageons vivement nos lecteurs à visiter ces vastes magasins, dont les intelligents directeurs, MM. Meyer et Lévy, ont su faire une des attractions de Paris.

Milton Keynes UK
Ingram Content Group UK Ltd.
UKHW030725230823
427286UK00011B/471